LOCUS

LOCUS

LOCUS

LOCUS

catch

catch your eyes ； catch your heart ； catch your mind……

catch 11 全職殺手之神人中最強者

作者：彭浩翔
責任編輯：韓秀玫
美術編輯：何萍萍
法律顧問：全理律師事務所董安丹律師
發行人：廖立文
出版者：大塊文化出版股份有限公司
台北市117 羅斯福路六段142 巷20 弄2-3 號 **讀者服務專線：080-006689**
TEL ：(02) 29357190 FAX：(02) 29356037
信箱：新店郵政16之28號信箱
郵撥帳號：18955675 戶名：大塊文化出版股份有限公司
e-mail:locus@ms12.hinet.net

行政院新聞局局版北市業字第706號

總經銷：北城圖書有限公司
地址：台北縣三重市大智路139號
TEL ：(02) 29818089 (代表號) FAX ：(02) 29883028 29813049

初版一刷：1998年 8 月

定價：新台幣180 元

Printed in Taiwan

全職殺手

FULL TIME HIT MAN

之神人中最強者

彭浩翔⊙著

自序——一句話二十五萬

彭浩翔

記得在九五年春天某一日，某位作家前輩在喝奶茶時跟我說了一句話：「你故事中的天馬行空，除了象徵你具想像力之外，還表示了你的懶惰。」

說實話，那時仍是二十一歲的我，根本就對這句話聽不入耳，還幼稚到認爲他是嫉妒我的才情（現在回想起來，這是多教人臉紅的想法），但後來離開了原來任職的機構後，我仍偶爾會想起他那句話，於是開始認眞地反思，我發現原來自己過去的創作，經常爲自己作掩飾，美其名爲「純感覺」，其實是思考的懶惰。

我發覺那前輩說對了，那時正是一九九五年的聖誕。

於是，我決定減少其他無謂的工作，專心構思一部認眞和不懶惰的小說，這就是二十五萬字的《全職殺手》。

一直以來，我都想寫一個談藝術創作態度的故事，O和托爾之間的故事大綱，早已在我腦內醞釀多時，我再花兩、三個月的時間去整理情節。由於那時我正跟林海峰和葛民輝一起編劇本（結果那齣電影拍不成，胎死腹中），因此有著點空閒時間，故事粗略的分場已經成形，於是我也開始動筆。

可是隨後我又發現了一個問題，那就是我對有關殺手的生活和認識都相當不足，跟著我再看看市面上一般有關殺手的小說和電影，總是存在著普遍的漏弊：資料不足、欠缺真實感、殺手性格表面化等。似乎沒有人要認眞探討一下他們的內心世界，他們除了是租書店廉價小說的主角外，就什麼也不是。

這只是肥皂劇編劇們一廂情願的想法吧。

我因此擔心自己再勉強寫下去，也會變成了他們的一份子。

所以，我請了幾個要好的朋友到西貢燒烤，當大伙兒吃得七葷八素時，我便拿出那疊八十多頁厚甸甸的原稿紙，用一種近乎「自宮」或「切腹」似的悲痛沈重心情，將它拋下火堆之中。就像《驚天大行動》中的那反派一樣。

三萬字就這樣唏哈一聲化成了煙灰，燃燒殆盡。

接著，我開始著手爲故事作詳盡的資料搜集和採訪，期間給予我最大幫助的，是我在美國拉斯維加斯的哥哥彭浩揚。他一直不厭其煩地替我找些我想要的資料、書籍和影帶，有些甚至是美國非法留傳的寶貴資料。而他豐富的槍械知識又令他看過我的初稿後，給了許多寶貴的意見。有一晚，我甚至半夜收到了他的長途電話。

「沒什麼，」他告訴我。「這兒有人自製了.9mm 手槍用的散彈非法販賣，可用於白朗寧手槍，我想對你的故事有幫助。要我替你訂購嗎？」

不用，但謝謝。

資料以快遞寄到了，全部是英文的。我的英文底子不好，正懊惱著怎麼辦的時候，從紐西蘭回來香港渡假的徐素雯和彭美琪小姐卻花了整整一個假期，替我翻譯了大部分的資料。

除此之外，還有一大堆好朋友，用一種彷彿受薪似的積極態度去幫助我，替我在圖書館找書、拍環境照片、做錄影帶目錄，買日用品和食物……

而我最內疚的，是每當我跟她們說「謝謝」時，她們總是定眼看著你，從眼中看到她們的一句話：

「唉，前世眞不知道欠了你什麼？」

接著又繼續幫我東奔西走。

而由於過去一直在傳媒工作的關係，我才有機會接觸到一些有背景的江湖人士，透過朋友的幫助，我認識了本地的職業殺手。我花了幾個月的時間和他們混熟、來往，發覺他們其實外表舉止都平凡得可以，要不是他們給我看他們的手槍，我甚至不大相信他們是殺手。

「一旦有槍在身，就得更加少惹麻煩，否則很難長命。」他們其中一人告訴我。因此，他們除了執行任務外，其他時侯根本跟平常人無異，會去爬山遠足、唱卡拉OK，坐地鐵。

大概有點不可思議，但他們當中有一個二十七、八歲的年青人，手臂有一隻老虎或豹之類的紋身。我每次看到他，他手中都棒著一本《李天命的思考藝術》。書的封面已經縐成卷狀，書內也沾滿了奶茶和菸灰。他告訴我，這書是一個前輩介紹給他讀的，他已經看了大半年，但只讀了一半。

「他的理論很正點，很好用。」當我問他爲何讀此書時，他如此回答。大概連李天命先生本人也預計不到吧！

而他們生活中的娛樂，就是去看動作片（特別是以殺手爲題材的），他們想看的不是別的，而是想看看電影中的殺手，是何等的好笑，他們會邊看電影邊告訴我，「黑星手槍根本不可能射到街尾那主角！」、「那刀根本不可能一刀砍下他的手啊！」之類的話。

「那編劇不是殺手，一點都不眞實。」他們其中一個說。

因此，要是他們讀過此書後，仍感到我未能把他們的眞實感情描寫出來，就請容我說句對不起。

正如郁達夫所說，未殺過人的人，寫不出殺人時的感覺，即使讀者看上去很逼眞，也全因讀者本身沒有殺過人的緣故。

我沒有當過殺手，因此只是盡量力求眞實而已。

在此，我想說明一點，這是一本講述兩種不同創作態度的小說。小說是「閑書」，並沒有什麼道德道理可言，正如鍾阿城在《閑話閑說》中所言：「以前說『文以載道』，這個『道』是由『文章』來載的，小說不載。小說若載道，何至於在古代叫人目爲閑書？古典小說裡至多有個『勸』，勸過了，該講什麼講什麼。」

最後我還得多謝某週刊的副總編輯，我們本來是好朋友，大概他見到我故事一直無法下筆，於是就決定幫上一把，「以朋友道義」——套用他自己的說話——的立場誣衊我，不惜冒上「文人相輕」之嫌，讓我可以減少無謂的俗務，專心寫這故事。

這樣的用心良苦行爲，不是眞的「好肢」是做不到的。因此我相信他日後仍會做許多類似的事。

這天，我明白許多，不想在此一一細述。但我想引述一個看過這故事的朋友的評語：

這不是一本每個人都喜歡的書。

對，他說得對，這不是每個人都喜歡的書，但沒關係，我從來都沒有要求每個人都喜歡我。因此，要是你在看了兩章後，發現你根本看不下去的話，沒關係，你大可把書寄回給我，我在手頭鬆一點的時候，自然會把錢寄回給你。

而如果你覺得你只對看故事有興趣，但根本不想了解什麼的話，沒關係，只要跳過那些註解不看就是了。

是，你可能覺得黑手黨、山口組或俄羅斯黑幫這類幫派，只會在好萊塢電影中出現。但其實根據各方的資料顯示，全球黑幫已經全面控制了地球上六分之一的陸地，僅是販毒、軍火走私的收入，每年就已超過一兆五千億美元，佔世界金錢的四分之一。而且，自從八〇年代末期到九〇年代初期，由西西里及美國黑幫、土耳其軍火毒品黑幫、俄羅斯黑幫、山口組和香港三合會黑幫，已經進行了犯罪史上最大型的「行動焊合」(Operational Welding)，自此香港堂口跟外國黑社會的合作會更加緊密。香港在將來會成爲全球黑幫亞洲區的聯絡點，大量的黑錢會由中南美洲流入香港清洗，金三角毒品經香港轉銷全球……

因此，不要以爲教科書沒有提及，世界就沒有發生那種事。

地球每天在自轉、公轉，暴力、犯罪、黑幫就活我們身邊。也許看不見，但絕對逃不了。

故事主要人物簡介

O（陳浩然）——原名馬志豪。因兄長關係而成爲刺客，其後兄長失手被殺，便開始獨自工作，漸成爲一級刺客。爲人沈默，懂得自我保護，不愛冒險。

七叔（李天燊）——電動玩具店的管理員，本身亦曾爲刺客，受傷退休後便開始擔任馬志輝的三拆。其後輝死便開始替O當三拆。

馬志輝——O的哥哥，爲一刺客，並帶O入行，其後失手被殺。

托爾（駱達華）——身分神祕之歐亞混血兒，爲近年亞洲區竄得最快的新晉刺客。性格狂妄，有自毀傾向。

鄭錦富——有組織及三合會調查科B隊之高級督察，一直負責調查托爾及O的案件。

Gi Gi（呂麗琪）——有組織及三合會調查科B隊之探員，爲鄭錦富下屬，對鄭仰慕已久。

阿琛（葉念琛）——探員。

鏘仔（朱繼鏘）——探員。

Bill（炳金盛）——印尼華僑，本地幫會小頭目，爲集團二拆，雖欣賞旗下的托爾，但對他的狂妄亦有所顧忌。

阿雯（徐素雯）——繼 Maggie 之後替O作清潔打掃的少女，爲人活躍好動。

黃明理——商人。O之行刺目標之一。

Maggie（彭美祺）——書院學生，兼職替O在麗港的家作打掃，爲O的暗戀對象。

Mr.Black——墨西哥 EZLN 遊擊隊高級成員，專程來港買軍火。

白志堅——酒店房間清潔員，O的中五同學。

教宗——殺手集團負責人，身分神祕。

紅毛仔（盧瑟夫）——美籍華人，爲軍火集團的成員。殺 Maggie 的兇手。

媚姨（葛亞媚）——墳場管理員。

鄭惠香——地產公司女東主。被殺。

周兆倫——高級警司。鄭錦富B隊的直屬上司，一直懷疑O是否存在。

老泥（謝民武）——聯義興四二六雙花紅棍。被殺。

權哥（郭沛權）——國軍將領。本爲七叔父親下屬。四九年後撤至調景嶺定居。其後帶七叔入行。

一般殺手集團架構圖

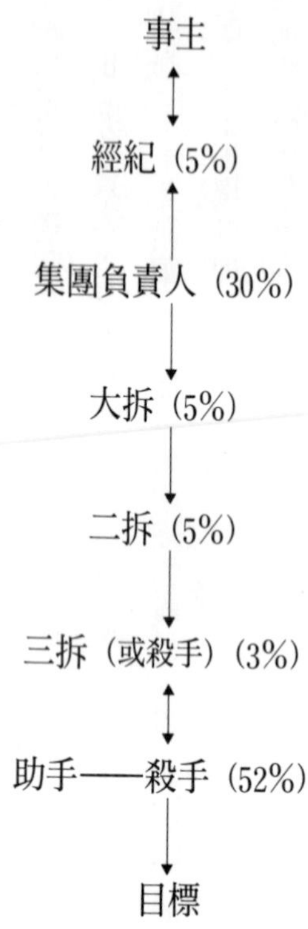

↑ 單向聯絡

↕ 雙向聯絡

事主：必須經過經紀人介紹，否則永遠搭不上殺手集團。以一般行規，事主必須在行動進入策劃階段前，將全數費用付予經紀人。事主與經紀雙方可以在事前作雙向聯絡，但一旦行動進行後，事主則嚴禁主動聯絡經紀，避免被警方盯上。

而除了付聘殺手的費用外，事主事後還需要繳付殺手及其助手在策劃行動期間的一切必要開支。

經紀：事主在集團之間的橋樑和擔保人。每次當經紀接到訂單。便會在特定報章中刊登廣告（每個經紀與集團之間也有預定的報刊聯絡次序，例如第一次聯絡爲A報，接著爲B報，然後C、C、A、B、A、C之類。到了某個數目後又再循環一次。因此並非限於某一報紙，而且次序絕不能有錯，否則聯絡自動中斷。）集團在看到廣告後便主動聯絡經紀。經紀在扣除個人5%的佣金後，要在行動進入策劃階段前，將半數費用（即全數的47.5%）付予集團。待任務完成後，再將餘數付予集團。如行動失敗或集團決定中止合約，經紀有義務替事主收回已付集團的47.5%訂金。並將款項歸還事主。但其5%的佣金則不用歸還。而當日後事主再找經紀殺同一目標時，他則不應再收取佣金。

集團負責人：整個架構中最神祕的人，與大拆及經紀均透過單向聯絡，沒有人清楚他的身分和位置。他／她是整個行動的負責人，信用必須相當良好，除非有特殊理由，否則收取訂金後就必須履行合約，如行動之殺手失敗或被殺，集團負責人必須安排另一殺手補上或退還訂金，而損失之費用，應由負責人承擔。

一般負責人所抽的佣金爲全數之30%，在收到47.5%的訂金後，負責人會先抽起自己的一半佣金，即15%，然後再將餘下之32.5%訂金付予大拆。而聯絡方法大致跟經紀間的方法相同。

大拆：即爲集團之最大批發商，一般每個集團均有五個或以上的大拆，分別負責不同類型之任務，大拆一般爲兼職的，一個大拆可以隸屬多個集團，而爲了安全理由，集團一般不會直接找殺手進行交易，必須透過大拆、二拆（甚至三拆）等最少三層來進行交易。以保障事後不會被追查到。

一般大拆佣金爲全數5%，在收到32.5%訂金後，大拆會先取2.5%，然後將30%交予二拆。（每個大拆旗下最少要有三個或以上的二拆）。

三拆：多數爲一些退休的殺手所做的，跟大拆和二拆不同，三拆旗下只會有一個殺手，這殺手多爲三拆當殺手時的助手，而遇上某些特別情況，三拆也可能自己接訂單執行任務。如果他將任務發給殺手的話，自己就抽取全數之3%作佣金。而他則要負責各樣事前準備，包括搭路，提供通行證及槍械之類。在抽起自己一半佣金後，需在行動前將26%之訂金交予殺手（三拆跟殺手間可作雙向聯絡）。

殺手：殺手所取之費用爲全數52%，但在策劃至行動期間所用的車馬費、飲食費，則可在任務完成後再由集團向事主代爲收取，一般爲全數之5%－10%左右，因此這類雜費又稱爲「加一」。如任務失敗，除非事主要求或有特殊理由，否則殺手應盡快再次向目標進行攻擊，直到目標被殺爲止。如不能完成任務，殺手須全數交還訂金，而要是日後集團再委託他刺殺同一目標時，殺手就不能再收「加工」。

助手：並非每個殺手都有助手的，完全視殺手之個人喜好。每次行動時，助手就負責協助殺手完成任務，工作包括駕車、狙擊時報距及掩護，殺手受傷時負責補上完成任務或製造混亂，讓殺手有機會逃離現場。助手每次所收費用均不同，視該次任務之性質及與殺手之關係而定。一般爲5%－20%不等。而助手也有分屬固定殺手或自由身分的兼職。

二拆：即第二批發商，形式跟大拆相同，在抽起2.5%佣金後，便會將27.5%訂金交予三拆（每個二拆旗下最少要有三個或以上的三拆）。

全職殺手之一 神人中最強者

目錄

故事主要人物簡介
一般殺手集團架構圖
1 殺手與刺客的分別．幸運的彼拉多．SNIPER問答遊戲 020
2 改變歷史的白朗寧．天台上的百合花．替你想了一句墓碑上的遺言 043
3 刺客生活哲學．中伏．第一次約會 061
4 沒有不好看的電影預告片．下墜的電梯．橋上的演講 082
5 神人中的最強者．封面照．H.M.I.W 101
6 「出診」的政府軍．同學會．當幸福燃燒殆盡 115
7 生與死．傷感的血．既陌生又不陌生的死者葬禮 134
8 超現實的隧道．抓住一霎那．寧靜的追逐 166
9 最後一次．事實的兩面．有眼無珠 186

I　殺手與刺客的分別・幸運的彼拉多・SNIPER 問答遊戲

O經常會提醒自己，刺殺並不是一項體育運動，亦非任何遊戲比賽，它只是一份職業。目標只是目標，不是人，什麼也不是。

今天的行動，O已經策劃了三個多星期，門外是最佳的下手地點，日期是星期二晚上19:45。O之前看過月曆，那天是月圓，宜槍殺。因爲人每逢月圓之日，血液運行和心臟活動都比較活躍，於是槍擊或用刀等流血式攻擊會較非流血的方式更爲有利，目標會在短時間之內大量失血，這令行動較易成功。

於是內容有了，那就是：星期二晚上19:45在門外槍殺目標。O開始爲內容而去設定一套形式。

一直以來，O都認爲自己讀書時代數學之所以這麼差，完全是因爲自己經常在開始時已經設定錯誤，當「Let X be:」被預設錯誤時，這道題目即使再怎樣努力計算也是徒勞的。

Let X be: 一個錯誤。

後來O長大後，他發現這和警方過去在三狼案①中所犯的錯誤是如出一轍的。因此，O決定在這次行動中，預先替警察們設定一個錯誤，讓他們向錯誤大道駛去。

O在過去這兩星期，一直都在研究大陸客的衣著、言談及舉止，他決定喬裝成一個大陸客來進行對此次目標的暗殺。只要警方一向大陸客方向著手調查，他們即使窮盡一生也無法找到他。

因此，他分別到幾家百貨公司，用現金付款買了一套菊花牌的內衣褲，夢特嬌的恤衫和西褲，而西裝則故意要小一號的。然後又在女人街附近買了一雙伍健牌球鞋。當然，他已經將一切可追查來源的單據、購物袋和價錢吊牌棄掉。

至於槍械方面，他要求七叔替他安排了兩枝五四式手槍②（這可防止在行動時出現「卡彈」現象——這是五四式手槍經常遇到的問題）、四個彈匣及五十發子彈。

而作為一個大陸客，O覺得自己的膚色未免白了一點，因此他在這個星期，每天都盡量抽空到沙灘作日光浴，好讓自己在行動時膚色顯得黝黑一點，粗獷一點。

下手的麻將館，O事前已經在附近視察了兩次環境，不但設定了三條逃走路線，還為偷來的車找到了一個有計時錶的車位。19:15，O走到對面的公車站，裝作在等候公車，這樣便不會引起別人的注意。

還有三十分鐘。看著自己手腕上的廉價電子錶，O在心裡對自己說。也許對別人來說這三十分鐘是漫長難熬的，但作為專業刺客的O，卻習慣了等待，因為耐性是成功刺客所必須具備的條件。

反正還有點時間，容我們說一些題外話吧。

O很在意別人稱呼他爲一個「殺手」，而不是一個「刺客」。叫他「殺手」，即英文的Killer，這是O所不能接受的。

在《牛津高階英漢雙解詞典》中，對於Killer的解釋爲：「**殺生的人、動物或事物。**」

但O是一個Professional（專業的）刺客，而不單單是一個「殺生的」殺手（Killer），請留意，這是有很大分別的。可惜，他覺得大部分的作家和電影都不尊重他們的工作。

開膛手傑克③是殺手、理查・崔頓・喬斯④是殺手、林過雲⑤也是殺手，但他們並不是刺客。Killer殺人的理由可能有很多，可能源於他的宗教、他的感情、精神錯亂、一種病態、一個解脫，甚至殺戮只不過是他的一種嗜好。

但刺客則不同，他們殺人的目的只有一個，那就是：生活。O認爲要是脫離了這個命題的話，什麼都沒有意義。

這是他認爲自己跟殺手（Killer）最大之分別。O較喜歡「刺客」一詞，「暗殺者」未免太過文縐縐。而英文則喜歡用Hit Man多於用Assassin。

其實就一般人而言，「殺手」和「刺客」在用法上沒有什麼大分別，也不會關心。是否爲生活？管他呢！不過，爲了尊重O和他的職業，我們就跟從他的意願，稱他爲一個「刺客」，或是Hit Man。

O再次看看手錶，19:38。時間已經差不多。幸好剛才經過公車站的巴士並不多，否則會令人對他的久站產生懷疑。O深深吸了一口氣，開始調整自己的呼吸，手則伸進西裝的側袋，替手槍作最後的檢查，並輕輕打開了槍上的保險掣。

現在，在O的腦內，他強迫自己忘記一切，過去的一切悲喜經歷，所有煩惱。除了這兒三條街以內範圍的事物外，一切都不存在。他要關心的，是這三條街內的交通、人潮、警察的巡邏時間和路線，有多少個出入口，哪一個上了鎖，哪一個沒有，目標會帶多少人同行，是否有配備槍械等等。其餘的一切，O都不再關心。

19:52。目標人物終於出來，那是個四十來歲的禿頭矮個子。跟照片上的樣貌差別不大，背後還跟著兩個手下。一切都在預計之內，O心想。

O開始走出馬路，步近目標。目標的手下正打算截停一輛計程車，於是O加快了步伐，手伸進側袋，掏出了五四式手槍。他已經離目標十步的距離，眼睛一直緊盯著目標。

「幹你娘！」O破口罵著自己已綵排了多次的國語，然後朝著目標的頭部扣動扳機。

轟！目標剛想回過頭來看清什麼事，子彈已經擊中他的面頰，左臉馬上爆開。目標慘叫一聲，接著就翻身倒地。

「Hit!」O在心裡用勁地叫了一聲。

刺客的第一槍是最重要的，第一槍必定要擊中目標的要害。這是簡單的動物心理學，目

標一被擊中要害，自然就會放棄反擊，一心想逃走，於是此時可再補兩槍，然後他的血會開始不停地湧出來，失血一多，人就變得慌張，於是自然會完全失去反抗能力。

O的哥哥這樣告訴他。

其中靠目標較近的手下已知道O的攻擊，馬上伸手到背腰，O暫且撇下目標，一個轉身連發兩槍。目標的手下還來不及拔槍，胸膛和喉部已經中彈，血如溫泉水般湧出來，染紅了他一大片的衣領和胸口，於是他像一個斷了線的木偶般，無力地坐在行人道旁的馬路，身倚剛停下的計程車，而手槍就跌在垃圾筒側。他無奈地看了O一眼，然後又垂下了頭，他看不到喉部的傷口，只看到恤衫上的一大片血。

「……認……認……栽，栽了。」那手下喃喃說著，聲音含糊，而他每說一字，喉頭就湧出一柱鮮血。

O不清楚他所說的「栽了」是指O，還是指他現在的處境。但這都沒有關係，另一個手下已經伏在地上不敢抬頭，O已經完全控制了環境，但他明白這樣的控制不會維持長久，於是馬上把注意力集中於目標身上，目標正企圖爬向麻將館。

O用槍嘴對準了正在蠕動的目標後腦，再補上一槍。目標開始停下來，接著O再向他的心臟和背脊各打一槍，以確保任務能準確完成。

O按下退彈匣的按鈕，把彈匣丟到地上。然後一面重新裝填另一彈匣，一面跑進旁邊的後巷。

O對這次任務感到滿意，從「幹你娘」到跑進後巷，只用了四十七秒。但此刻的他絕不能放鬆，他必須依循計劃的路線去跑。現在偷來的汽車就停在三條街口以外的地方，O必須不停地跑，尋回剛才忘了的三條街以外的世界，要是不能逃離這裡的話，三條街口以外的世界就會永久消失，再不復存在。

O回過頭，似乎沒有人追來。但他仍以機械性的動作向前跑。過了手推車和木箱後，O轉進右邊的路口，大約跑了十步左右，有一道半掩的鐵門，O轉身閃進去，那是一所越南餐館的後門，O神態自若地穿過了餐廳，然後從大門口離開。他混入了人潮之中穿過馬路，跑到逃走用的汽車旁邊，然後馬上駕車離開。

路上，O一直以極謹愼的態度駕駛著，避免引起交通警察的懷疑，他一直駕車到西貢白沙灣附近，然後把車停泊在草叢堆旁，並從座位上拿走一個預先放置的藍色旅行袋。

車就這樣停在這裡也不成問題，因爲要是有目擊證人看見那「大陸客」登上這輛汽車的話，就當大陸客辦完事後從這兒乘小艇逃回大陸吧。要是沒有人發覺那更好，就當是偷車集團把車偷了，本打算在此處用船運往大陸，但後來不知爲什麼偷運計劃取消，而偷車集團亦只得把車棄在這兒。

O在草叢中迅速地換上了預先準備好的西裝西褲，然後把剛才行動時所穿的衣服塞進旅行袋，接著穿越叢林，一直向石灘走去。

穿過難行的石灘，一切就如安排的那樣，駕「小艇」的人早已在碼頭等候，他們是具備專業道德的，因此絕不會過問你的事，當然他們也不會關心。他們只負責運送人或貨，收了錢後便什麼都不管了。

「到哪裡？」

「香港仔遊艇會。」O一面跳下船一面說。

那駕駛員呆了片刻，並回頭望望他，但隨即再沒有說什麼，馬上開船出發。小艇在黑夜的水面高速飛馳，彷彿完全脫離了水面。O靠在船旁，把剛才藍色旅行袋及內袋的衣物逐一拋進夜海之中，然後他將兩把五四槍拆解。快艇不斷飛奔，他每隔一段距離就將零件和子彈丟進大海。這樣把槍拆解可以阻礙警方的追查，因爲即使出動潛水人員打撈，也不可能找到一枝完整的槍，找不到行兇的兇器，調查便很難有進展。

而O故意把彈匣掉在現場，就是要令警方清楚兇手使用的是大陸手槍，再加上現場其他目擊證人的口供和描述，警方很容易就會懷疑是大陸仔所爲。本來，O還打算事前先到廣州買一部傳呼機，然後故意遺留在案發現場，但後來他又打消了此念頭，因爲這樣會顯得太造作，就像《摩天輪謀殺案》⑥一般，造得太多的證據就容易引起懷疑。

當小艇駛近遊艇會的時候，駕駛員開始把速度放慢，然後把快艇停泊到公衆碼頭。O把餘下的船租付清給那駕駛員後上岸離開，他一直走到俱樂部的花園，從花壇中找到了預先暗藏在那兒的鎖匙，跟著從側門穿過大廳進入更衣室。O望望兩旁，確定沒有人留意自己後，便開啓了儲物櫃，在櫃裡面拿出了一件卡文克萊長袖T恤和牛仔褲、一雙 Nike 球鞋、內衣褲和三個黑色的垃圾膠袋。

O馬上換了新的衣著，把脫下來的衣物分別放入三個膠袋中，然後再分別將它們棄於不同的垃圾筒內。此時，O深深吸了一口氣，然後到附近的公車站乘公車離去。

O喜歡搭巴士，有時在九龍區行動時，他會從家中乘巴士到目的地，因爲他很喜歡九龍巴士的一句廣告口號：**只因有想見的人**。

每次乘巴士去行動時，他都會想起這句話。

在舊式的電動玩具店，除了每部遊戲機螢幕護膠上的菸蒂烙印和環境擠迫外，燈光幽暗也是其特色之一。O正喜歡這種情調，一來可讓人看不清楚他，而且感覺上這樣幽暗的電動玩具店才算像樣，大概是正如鍾阿城⑦所言，蹲得太久後，一站起來就老是覺得不自然。現在許多新開設的電動玩具店，地方變得大了，遊戲機之間已不是一條狹窄的小巷，而是變成了可讓數個人同時並行的「道」了。當然，環境也變得清潔了，有些電動玩具店還聘請了一些保鏢呢。

可是O總是覺得這樣的地方，已經不像一間電動玩具店，他還是喜歡舊式的電動玩具店。

他走到兌幣處的前面，然後敲敲玻璃說：「七叔。」

七叔抬起頭，用那雙凹陷的眼望了望O，然後就用一種緩慢的速度關上了兌幣的小窗，和O走到兌幣處後的小房間內。

「怎麼啦，忽然看上去黑了這麼多呢？」七叔問O。

「沒什麼，工作而已。」O說著，停了一會：「我的尾款呢？還有上次的加一？」

七叔看門口，肯定了小房間中沒有人，便從那箱凌亂的遊戲電路板中拿出了兩包用牛皮紙包紮的東西。

「這是這次的尾款。」七叔先遞上較大的一包。「另外，這是上次的加一，我已經扣除了槍錢。其實你也用不著那麼趕來啊，過兩天再來不是一樣嗎？」

「不，我想今晚就拿錢。」O淡淡地回應。

「你就是學不到你哥哥的從容。」七叔說。「這裡有一筆這個月的生意，你看看怎樣吧。」

O接過了公文袋，打開，拿出一片磁碟。

「你這兒的電腦還可以用嗎？」O問七叔。

「剛剛修好，你可以用用看。」

於是O把磁碟片放入辦公桌上的那部電腦，然後輸入了一串密碼：

基登主力合心同　記表爲蘭金義結

期佳訂角三成排　四二頭頭印問若

這就是O平日專用的密碼，那是洪門三合會⑧「風」、「流」、「寶」、「印」四詩⑨中的「印」詩⑩的倒序。這磁碟內有特別程式，除了密碼外，還規定了輸入密碼時要用內碼輸入法，因此即使你拿到了密碼，但用了其他如倉頡、大易等輸入法鍵入密碼的話，磁碟片裡的程式也會因爲輸入錯誤而自動銷燬。

螢幕顯示了目標的詳細資料（請參考圖表一），O細心地看著資料，口中喃喃地背誦著，把所有資料都記牢，隨後便關上電腦，並把磁碟片抽出燒燬。

「怎麼樣？」七叔說著點了一根香菸。

「我要加價了，要二十萬美金，不要新鈔。」

七叔苦笑了一下，吸了口煙：「唉，這是KGB⑪的價錢啊，沒有人的命是值這個價錢的。」

「他們會付的。」O說：「每個人的命值多少錢，不是由他本身決定，而是由他的買家來決定。」

「……那麼，我再跟上面談，先談談槍吧。」

「我要一枝MSG 90⑫，連夜視鏡和三十發子彈。另外要一枝M93R⑬、兩個彈匣、子彈四十發。」

「最近來貨很緊……不如這樣吧，我在金邊⑭那兒有個朋友……」

圖表一

1. 全名：(中文) 黃明理　　(英文) WONG MIN LEA　　(別名) Andrew
2. 出生日期：4-27-45　　年齡：51　　頭髮：Black　　眼鏡：No
   身高：5'8"　　體重：217lb　　詳細及具體特徵：左臉有一顆大痔
3. 地址：又一村地錦路84號3/F
   所屬城市／國家：HK　　電話：(852)2764 8xxx
4. 照片提供：Yes　　照片近似度：80%　　目標住所照片：Yes
   住所平面圖：Yes　　該區基本地型：Yes　　以上資料提供時間：已附
5. 職業：公司老闆　　任職機構：中廣貿易公司
   公司地址：金鐘遠東中心43樓　　上班所使用之交通工具：開車
   是否有固定路線：Yes　　是否獨自上班：Yes
   詳細資料：與兒子及姪兒一同上班　　常去場所：灣仔一帶夜總會
6. 興趣及嗜好：(平日) 夜總會　　(假日) 打Golf，到廣州
7. 與目標同住人士

姓名	年齡	性別	職業及上班公司
兒子	約27	男	貿易公司
兒子	約30	男	貿易公司

8. 與目標來往人士

姓名	地址	職業	電話

..............................UNKNOWN..

9. 是否喝酒：Yes　　程度：一般　　常飲酒類：啤酒
10. 是否服食任何藥物／毒品：Unknown　　種類：／
    程度：／　　藥物／毒品由何處提供：　　儲存地點：／
11. 有否嫖妓或任何性關係：Yes
    類型：Unknown　　地點：家、九龍塘　　詳細資料：／
12. 有否隨身攜帶武器：Yes
    類型：兩枝Glock 17　　目標對武器熟悉程度：黃一般／姪Good
13. 家中是否藏有武器：Yes

類型	存放位置
Glock 17	床頭
Glock 17	兒子房
Glock 17	姪子房

14. 目標有否受過任何軍事／射擊／自由搏擊等訓練：

其姪曾於台灣服役兩年，為憲兵中尉

15. 目標有否任何過敏或恐懼症：Unknown

16. 目標有否養狗：No　　種類：／　　所在位置：／

詳細形容狗隻：／　　目標鄰居有否養狗：Unknown

17. 列出目標任何特徵，特殊生活習慣與特性：

每月初均會到廣州談生意／及到清遠飛來寺參拜

18. 住所附近之地圖：

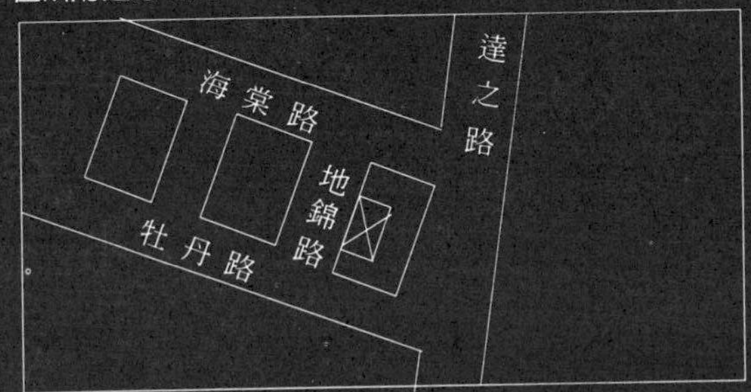

19. 屋內平面圖：

「七叔。」O打斷他的話。「你知道，我是不用二手槍的。」

「可是，這不是到便利店買衛生紙呀，現在不只我，是全區都缺貨啊，你每次都要得這麼刁鑽，又只用一次。我可不是那麼容易找到的。」

「可以試試達拉⑮那邊，他們的手工也不錯，又可免得被追查到。」

「你知道向那裡買貨，回來要經過多少個關卡嗎？」七叔問O。「想當年，志輝跟我的時候，他一枝槍就用了一年多……」

「我等你的消息吧。」O不再想聽七叔說下去，於是起身離去。

回到家中，O在昏黃的燈光下用溶解液溶去自己手指頭上的萬能膠。每次行動，他都會在手指頭處塗上萬能膠，以防止留下指紋，而當他每次在事後把萬能膠溶退時，都會有一種類似新陳代謝的感覺。大概就像彼拉多⑯判了基督的罪後，在猶太祭司長、法利賽人和文士面前洗手一樣，但O感到較幸運，他每晚都睡得很好。

O走到廚房，關掉了預備電池和電源，然後從冰箱中拿出了他那本日記、兩個蘋果和Perrier礦泉水。坐在書桌前，一面吃蘋果，一面把今天的事記下來。

O已經寫了三百二十七天的日記。沒有人能讀他的日記，即使你在翻閱此書，但這書也無法把O的日記全文刊登出來。

O是確定了除了自己之外，再沒有人能看到他的日記，於是才開始寫的。否則的話，他根本不會寫，也不能寫。

他感到自己彷彿到了人生的某個階段，生命的某個里程碑，他必須把殘留腦內的東西記下來，以免他們被時間沖淡、扭曲。

因此，那天在O完成了第八十六次任務時，他走進了途中經過的一間文具店，買了一本用環保再生紙製的厚記事簿，作爲自己的日記本。

爲了保證無人能看到這日記，所以O把它連同其他重要資料一起放在雜物房的綠色冰箱之內。他將冰箱內的電燈泡拆去，然後將燈泡插座上原來的電線，接駁到那連著一千克ＴＮＴ⑰炸藥的電氣式雷管上。只要某個不識趣的傢伙一打開冰箱的門，冰箱內的炸藥便馬上會因爲電座的電路接通而引爆。

而ＴＮＴ那每秒兩萬兩千六百英呎的爆裂速度，和那高達攝氏八百二十六度的發火高溫，將會把連同這日記在內的所有東西摧毀。

即使那不識趣的傢伙在打開冰箱門之前，自作聰明地拔掉了那位於廚房門附近的冰箱電源插頭，藉此想讓冰箱停止運作，卻是無濟於事的，因爲冰箱還連有一個暗藏在雜物櫃的後備電池。所以即使截斷了屋內的電源，冰箱仍能馬上正常運作。而O每次自己要打開冰箱時，都必須先拔掉插頭，然後關上預備電池才能打開。

其實，O已經不是現在才不肯用二手槍，就算在哥哥剛帶他入行時，他已經向哥哥提出了他的意見。

那年他二十四歲，自預科畢業後便做過不少工作，船務、保險經紀、酒店員工、售貨員等等，但大多的工作他都不感滿意。不知道是什麼原因，不是有繁重得令人喘不過氣的工作量，不是有倚老賣老的同事，也不是有故意針對他的上司，但他就是覺得這類工作不太適合自己，可是又沒有什麼特殊技能或學歷，在這種城市之內，又能幹什麼呢？因此他只得一直漫無目的地幹著這類餬口的工作。

直到那年的除夕前一天，O被其所任職的公司以「工作不投入」為理由辭退了之後，他一直待在家中渾渾噩噩了兩個多月，O想整理一下自己，看看自己到底應該走一條什麼樣的路。

有一晚，O的哥哥趁父母睡了後，走到仍坐在客廳中看電視的O面前問他：「怎麼啦？想跟我一起工作嗎？」

說實在的，雖然哥哥只大O兩年多，但由於他是一個沉默寡言的人，兄弟二人一直沒有怎麼溝通，因此到底哥哥幹的是什麼性質的工作，O是一概不知的，但他覺得反正未找到自己的方向，因此任何工作都無所謂，於是O便一口答應了。

這樣，O便開始了當刺客的生涯。

哥哥告訴他，自己是在偶然的情況下認識七叔的。

七叔本身是職業軍人出身。一九四九年大陸赤化，那年還是十歲的七叔便與其他六兄弟姐妹一起，隨隸屬國軍第二十六師的父親一起跟殘餘部隊退入緬北，母親早就在撤退時病逝，於是他們定居於泰緬邊界的大其力村。

一九五一年，二十六師的「復興部隊」在與緬甸軍政府作戰勝利後，與當地馬幫、從西雙版納逃出來的反共人物、仕紳一起改編爲「雲南人民反共救國軍」，由當時從台返緬的李彌將軍率領，以大約一萬餘人的兵力決定反攻雲南。

七叔父親自然是隨隊出征。這次反攻只維持了兩個月便告吹了，七叔父親和兩個兄長都於滄源和耿馬等地陣亡。

一九五三年，救國軍在聯合國的壓力下撤回台灣。除了七叔和那頑固的五哥之外，其餘三個兄弟姊妹都隨隊撤台。

二人參加了留下來的孤軍部隊——那時救國軍表面雖然撤退，但在緬北仍保存了相當的兵力，而且雖然人員撤退了，槍械仍保留著，所以兩千三百多人的國軍撤退，泰軍只收繳了二十八枝步槍、三枝手槍和一挺機槍。

初時，七叔的部隊得到美國中央情報局（Central Intelligence Agency, CIA）的資助，一直在雲南、泰北等地從事情報蒐集和暗殺工作。其後美國停止資援孤軍，七叔的部隊便告解散，七叔和兄長便與殘餘部隊一起轉戰金三角等地，負責押運玉石或鴉片等貨物。

其後撣邦地方革命叛軍（SSA）成立，對於這類暴利生意，撣族人自然不願落在外國人手中，因此便經常與七叔的國軍殘部發生武裝衝突。殘餘部隊由於缺乏支援而處處失利，金三角等地逐漸落入叛軍手中。五哥於一次押運行動中戰死，此時七叔已經心灰意冷，決心離開緬北，可是他多年前已和台灣的兄長失去聯絡。於是，他只得投靠在六十年代末偷渡來香港的朋友權哥，他是父親多年前在軍中的下屬，一九四九年隨部隊撤退往香港，一直被港府安置於調景嶺。

在權哥的引領下，七叔加入了黑幫。那年二十八歲的七叔，由於受過正式游擊訓練，加上擁有豐富的實戰經驗，很快便成爲本地最頂級的刺客之一，受僱從事香港、台灣及東南亞各地的暗殺活動，從此一直以此爲生。

那時七叔本身是一個刺客，O的哥哥成爲了他的助手。七叔在一次行動中，爲了救馬志輝而手部中槍受傷，從此動作不靈光，被迫退休。後來他當了集團的三拆，而O的哥哥就成爲正式的刺客。

O入行之後，哥哥開始教他一切有關刺客的知識，包括各類的槍械結構、駕駛技術、射擊技巧及速記等，而那時由於O的哥哥行動時多用狙擊槍（Sniper Rifle），因此O的工作主要是當他的掩護手（Cover Man），負責用望遠鏡向他報出目標距離，並用火力掩護作爲主攻手（Marksman）的他，攻擊所有接近他或危害他的目標。

O的哥哥交了一枝 Vz61 ⑱衝鋒槍給他，那是O的第一枝槍。他一直用了一年，直到後來的擊針受損，他才在往大嶼山的渡海輪上把槍抛進海中。

「嚴格來說，」O的哥哥會這樣認眞地告訴O：「我算不上是個眞正刺客，我只是個Sniper（狙擊手）。」

當然，後來O在哥哥死後看到了盧貝松的電影《終極追殺令》，當中主角里昂亦曾對女孩說過，一個眞正的刺客先要學用長槍，因爲可以跟目標保持最遠的距離，然後漸漸可以跟目標的距離拉近，繼而學用短槍，最後學用刀。

當然，O認爲這個理論有其可取之處，哥哥除了狙擊槍之外並不擅於其他武器，因此也不能算是個一流的刺客。當然，刀是要懂得用的。但O一直認爲，要是可用槍的情況就應該用槍，不用別的。

暗殺並非一項體育運動。

有空的時候，哥哥就會教O使用狙擊槍。

無可置疑，直到現在O仍覺得哥哥在用狙擊槍方面，算得上是行內數一數二的，而自己在這方面仍趕不上他。

「臉盡量貼在槍柄。」哥哥把O的頭按下去。「看，槍斜了。瞄準鏡內的十字線要與地平線平行。」

「當射姿準備好了後，就不要隨意移動，應檢查射姿是不是正確。」

「不移動怎樣檢查？」O問。

「用呼吸來檢查，眼看準星，保持正常呼吸。」O的哥哥拿出一張紙，在上面畫出圖來解釋。「如果正常時，準星就會上下垂直移動，正是鐘面的十二點鐘和六點鐘的位置（參考圖表二A），但如果呼吸時準星會向左下或右下移動（圖表二B），就表示槍身和手肘位置不準。你要先保持手肘位置不動，然後身體向左或右移，將準星移回中線。」

O的哥哥時常強調，一個狙擊手必須有超乎常人的記憶力。因此，二人一有空就會作「問答遊戲」的練習。方法是這樣的，O的哥哥會先矇上雙眼，然後O遞上一枝他不知類型槍械的零件，他必須在兩分鐘之內裝嵌好，並將子彈上膛。而在裝嵌槍的過程中，他要不斷回答O所提出的各類問題，就像《收買人命》中的亞蘭德倫一樣。

「銻的原子序數？」

「51。」

「行動是通往知識的唯一道路。」

「海明威，不……蕭伯納。」

「一架EU（衝鋒車）上的火力？」

「六枝三八左輪七十二子彈、一枝 H&K MP5 機槍、兩個彈匣每個上五粒子彈……雷明登 870 Shot Gun、十顆子彈入五顆、法德魯吋半口徑長槍連十發木彈十發催淚彈。」

圖表二A

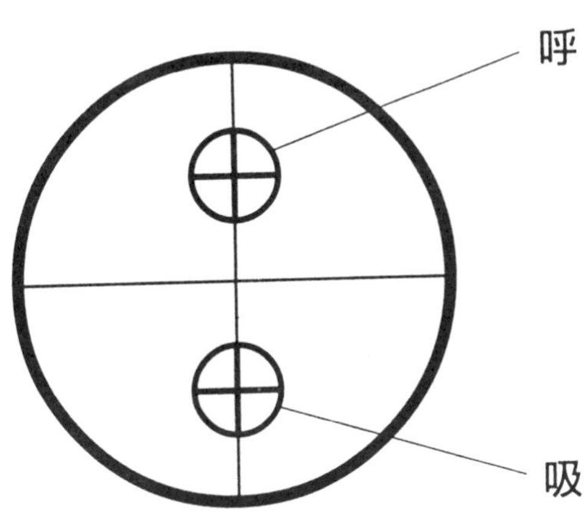

圖表二B

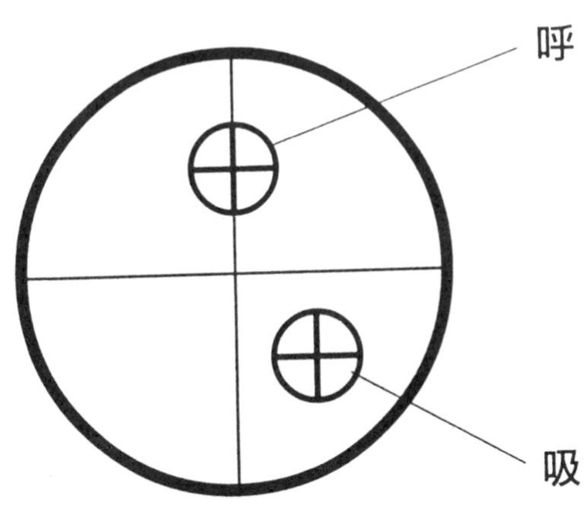

「每次殺人，我自己也會死去一部分。」

「《Two To Tango》。」

「誰是導演？」

「……想不起來，Heclor 什麼的。」

「誰演的？」

「……Don Stroud……還有 Adrienne Sachs。OK!」哥哥說著，並把裝嵌好且上了膛的 Mauser M66SP 狙擊槍⑲放在桌上。

「一分二十三秒。」我看看碼錶。「是 Heclor Olivera。」

註解

①三狼案：指一九五九至一九六一年間，李渭、倪秉堅及馬廣燦等人綁架香港富商黃錫彬父子一案，而因警方初期誤爲綁架集團或特務組織所爲，因此調查一直沒有進展。

②五四式手槍：中共曾利用前蘇聯提供的 TT1930/33（杜卡雷夫）型手槍零件進行裝配，生產51式手槍，後改良爲54式自行生產。爲中共軍隊及警察（公安）的制式手槍。

③開膛手傑克（Jack the Ripper）：在一八八八年間，於倫敦殺害並肢解五個妓女之變態殺手，倫敦警方一直捉不到他，此案成爲著名懸案。

④理查・崔頓・喬斯（1950-1980）：美國著名的變態殺手，有「沙加緬度吸血鬼殺手」之稱。喬斯殺人後會喝死者的

血和吃他的內臟，目的是「防止自己的血液化爲粉末」。

⑤林過雲：香港著名的「雨夜屠夫」。本爲計程車司機，於一九八二年間分別在雨夜殺害並肢解四名女子，一九八三年被捕，後被判終身監禁。

⑥摩天輪謀殺案：日本作家松本清張的推理小說，講述一個欲騙取保險金的婦人，如何殺害丈夫又製造不在場證據。

⑦鍾阿城（1949- ）：中國當代小說家，主要作品有《棋王》、《孩子王》等。

⑧洪門三合會：清初一個中國秘密組織。以「反清復明」爲口號，傳爲鄭成功部下陳永華（別名陳近南）所創。流傳至今，已淪爲作奸犯科的犯罪集團。

⑨風、流、寶、印：經大哥正式收錄入洪門之人，會被傳授對答手勢和詩詞，好讓別的黑社會人士盤問時能以茲識別，當中就是講述洪門創立歷史的「風」、「流」、「寶」、「印」四詩。

⑩印詩：傳聞洪門盟主陳近南率衆抗清，被圍於湖北襄陽，由於勢孤力弱，於是被逼分頭突圍以圖再起。陳臨行留詩：「五人分開一首詩，身上洪英無人知，此事傳與衆兄弟，後來相會團圓時」爲記。由於突圍當日爲農曆正月二十四日，並以右手姆指、食指及無名指合攏爲記。「印詩」內容就與此傳說有關。

⑪KGB：Komitet Gosudarstvennoi Bezopasnosti，前蘇聯國家安全委員會，建於一九五三年。前蘇聯解體後，當中部分特工成爲了國際的一級殺手，每次收費約爲十萬至二十萬美金。

⑫MSG 90：德國 H&K 公司於一九八七年，將 PSG1 簡化改裝而成的軍用半自動高性能狙擊槍。可裝彈二十發，射程超過八百公尺。

⑬M93R：義大利貝瑞塔（Beretta）公司將 M93F 強化改良而成之手槍。可裝子彈達二十發。特點是具三發點放功能，

能達到火力壓制的效果，扳機前還附有折疊式握把，用作穩定射擊。

⑭金邊：柬埔寨首都。市郊有大量由軍人經營之練靶場，該處爲亞洲區最大的二手黑市軍火交易市場之一。提供美、俄、中國、南韓及印尼製等槍械彈藥。

⑮達拉：位於巴基斯坦西北邊陲，「可赫走廊」（Kohat Pass）上的達拉鎮（Darra Adam Kheil）。當地的百達族人（Pathans）以自製槍械馳名，該鎮有多達五千個槍匠，能生產任何手槍、機槍甚至火箭炮。因此該鎮有「世上最粗暴之地」的稱號。

⑯彼拉多（Pilate）：處死耶穌時的羅馬猶太總督。

⑰TNT（Trinitrotoluene）：三硝基甲苯。即黃色炸藥。

⑱Vz61：由前捷克斯拉夫生產的小型衝鋒槍，又被稱作「蠍式」（Skorpion）。它使用 7.65mm×17 之小型子彈，握柄內還附有一個速率降低裝置，因此小型輕便，操控非常容易。

⑲Mauser M66SP：德國毛瑟公司以運動用短型獵槍作基體研究而成的一種具有手動機（附彈匣）活動結構的狙擊槍。除提供德國警察使用外，同時輸出海外。

2 改變歷史的白朗寧・天台上的百合花・替你想了一句墓碑上的遺言

同樣是炸藥，托爾比較喜歡在家中自製C-4①，而不喜歡用TNT。並不是因爲前者的每秒爆速較高，而是托爾喜歡那種創作感，就像小學生上美勞課時做勞作一樣。

雖然古巴游擊隊領袖切・格瓦拉（Che Guevara）的日記曾說，自製C-4的人當中有一半以上會被炸死，或失去手、腳。但托爾並不擔心，因爲世界上已有太多事情會令人死亡或失去手和腳。他只是小心地把四百三十克滲有變性酒精②的硝酸銨③放進鍋裡，然後用大約十七至二十度的溫熱把它們烘乾。托爾用昨天煎火腿蛋的鍋鏟來翻弄粒子，有些硝酸銨粒子已呈淺咖啡色狀，但托爾知道是沒關係的，這並不影響爆炸的效果。

然後，他將這些粒子放入電動磨咖啡豆機中，刀片高速轉切，粒子瞬即磨成粉末。托爾在磨機中倒出粉末，連同二十克鋁粉④一起用漏斗注入一個玻璃藥水瓶內。玻璃瓶是托爾特別挑選的，底部有一個凹陷的圓錐位，這可有助C-4的爆炸定向，壓力會從兩邊向瓶底方向爆發，加強殺傷力。

屋內的CD唱機，正以強勁的音量播放著莫札特的《弦樂小夜曲》。這是托爾最喜歡的音樂，每次行動前他都必定聽上數次，但只限於該曲的快板和浪漫曲，一旦到了小步舞曲的稍快板時，他又會感到乏味，於是便從頭再播一遍。

托爾把桌上的白朗寧（Browning）⑤ 9mm RUGER 曲尺手槍⑥插在腰間，這枝槍托爾帶了三年，一般都用作自衛配槍，而不是行動用的槍。他喜歡白朗寧的槍，因爲托爾認爲白朗寧是一種改寫歷史的手槍牌子，當年加布里洛·普寧契夫⑦能用白朗寧譜出了第一次世界大戰，因此托爾也認定自己能用白朗寧改變世界，改寫歷史。

但他不認同別人套用胡克⑧《歷史中的英雄》的理論，把殺手界定爲「事變性人物」(eventful man)，認爲他們的出現，只是影響了歷史發展的方向，將進程突然改變，除此之外沒有任何特別意義。

可是，托爾卻認爲，抱持這觀念的都是外行人，不明白這行業的運作。一個出色殺手絕對有資格被稱爲「創造事變人物」(eventmaking man)，因爲一次成功的暗殺行動，乃是由殺手本身的驚人意志、智慧及其種種卓越能力結合而產生出來的成果，絕非是在偶然或僥倖的情況下所促成的。

因此一個殺手的偉大之處，並不單在他的行動，而包含了他的才情和氣魄。

「誰說恐怖主義不能改寫歷史？布盧托⑨和武士英⑩不就是好例子嗎？」托爾常常這樣說。

坐在信德中心大廳詢問處的保安員，對那個送百合花的胖子沒有特別的印象，在這個時間就是金錢的商業社會中，送花等於愛情的代名詞、標籤、同義詞。保安員早已見怪不怪。墨綠的唯一較爲吸引他視線的，是胖子手上的百合花，這可算是他見過的最大束的百合花。墨綠的縐紙包了二、三十枝綻開的百合花，四周還襯托著黃色的跳舞蘭。保安人員知道這一束花一定價值不菲，他深深了解有錢的好處。

那胖子乘電梯直達頂樓，以一般胖子罕見的敏捷身手閃入了防火巷中。他伸手到工人褲中取出藏在裡頭的皮包，身體馬上顯得少了一大截肉，回復爲個子不高但體型健碩的托爾。接著他從口中抽出了兩塊含在牙肉間的棉花，面部也瘦削起來。

他用鐵筆撬開了通往天台的門，走到天台處，托爾往下俯視，直昇機的停機坪就在射程範圍之內。他微微笑了一下，看看自己手上的花。說眞的，殺手扮送花的人，這已是老掉牙的方法，可是根據托爾的經驗，越是古老的方法越值得學習。

他在花束的絲帶上使勁一扯，整束花就散落地上，縐紙中露出了一枝塗上了軍綠色的塑膠水管，水管約長一公尺，表面好像貼了一些紗布似的東西，一般人看到大概會視它爲一條被棄置的水管。可是托爾視它如珠如寶，因爲由籌備到製造，足足花了他五天的時間。

他將木製的手把套上水管，然後小心翼翼地從皮包中取出了盛有硝酸氨的砲彈，彈身是用玻璃瓶揷上厚瓦楞紙筒所製的，尾部還附有兩塊用銅片製的定風翼。最後托爾把八十毫升的硝基甲烷⑪注入彈頭的玻璃瓶中，這樣C-4就正式完成。

他看看錶，時間已經差不多，托爾把砲彈裝進這迫擊砲之中，然後對砲身和信管等作最後一次檢查，確定了沒問題後，便將從信管位置伸出來的電線，接到手把中的9V方型電磁之上。這時，托爾可以做的，只有等待。

陣陣疾風吹打到托爾的臉上，頭髮也亂了。雖然今天陽光不錯，可是能看到烏雲在水平線那邊翻滾，正漸漸迫近，一副山雨欲來的樣子。

「我喜歡這氣氛。」托爾用他那種帶天津口音的國語喃喃地說。

沒多久，直昇機終於在雲層中出現。托爾興奮地叫了一聲，慶幸這班機並沒有因為天氣而取消，托爾情緒開始變得高漲，他扭了一下頭，甩甩手，然後提起了迫擊砲。撥起瞄準的照門。

透過照門位置望出去，直昇機的影像開始變得越來越大，這使托爾想起自己八歲生日的那年，奶奶捧著的生日蛋糕，正是這樣子地迫近眼前。

「五百……四百五……四百……三百五……」托爾心裡一直倒數著目標的距離，當目標進入二百五十公尺的距離時，他開啓了手把上的電磁開關，讓砲進入射擊狀態。

托爾已經準備就緒，但他必須等待目標再近一點，否則就有可能射歪。他只有一次機會，錯過就沒有了。

「兩百三……兩百……一百八……一百七……一百六……一百五！」當直昇機進入了一百五十的射程範圍，托爾馬上扣動扳機，火光一閃，迫擊砲彈隨著火舌猛然射出，以拋物線的角度擊向直昇機。一切如托爾計算，砲彈擊中駕駛艙的擋風玻璃，發生了猛烈的爆炸，整架直昇機馬上被爆炸的火燄吞噬，熔爲一團火球而急速下墜。

「Bingo!」托爾大叫了一聲，然後一面放下了手中的迫擊砲，一面欣賞自己的作品，火球一直下墜，直到到達升降平台附近的地方，當著地時，直昇機再一次發生爆炸。接著還有兩次小爆炸。

他迅速解開了工人衣服上的鈕扣，整個人便金蟬蛻殼般地走出來，變成了一個穿名貴黑色雙排扣西裝的年輕生意人。然後以平靜的心情步行下去，讓自己再次混入友善和可靠的人群當中。爆炸顯然在大廈中產生了很大的震撼，走廊中滿是從各個辦公大樓走出來的人，大家都在打聽剛才的爆炸聲是從哪兒傳來的。自從發生過嘉利大廈大火後，一般辦公室職員對商業大廈的意外事故都提高了警覺。

托爾一直叫自己保持冷靜，向大廳的電梯走去，盡量將自己的脈搏維持每分鐘不超過九十下，可是他感到一股熱氣正在他的體內往上升，但他清楚知道這並不是因爲緊張，而是爲了自己的創意和精湛的手工藝感到驕傲。這枝自製迫擊砲性能之優越，托爾敢說，在東南亞除了岡守廣三⑫之外，只有他一個人可以做出這樣高水準的自製武器。

隸屬有組織及三合會調查科B隊的鄭錦富高級督察，穿越了圍觀的市民和一大堆的電視台採訪隊及雜誌記者。每一次到達案發現場，鄭錦富就感到香港的新聞工作者總是好像越來越多似的。

一來到天台，身型嬌小卻穿一身寬鬆運動裝的 Gi Gi 就走過來向他行禮。

「長官。」

「情況怎樣？」鄭錦富問她。

「嚴重惡劣。這裡的工作人員說，直昇機從距離停機坪大約二百公尺左右發生爆炸。」

Gi Gi 一面帶他走向天台的邊緣一面說：「機上乘客連同兩名機師共有九人，七個當場死亡，另外兩個送醫搶救途中，一個情況危急……」

「那另一個呢？」

「極度危急。」她停了一會，企圖調整一下聲音，好使自己在他眼中不像一個小女孩，而更像一個能幹的探員。「我們在這邊發現了一台類似發射器的東西，相信炸彈是從這邊射出的，而且我們還發現了大量的百合花……」

「百合花？」鄭感到奇怪，但他環顧四周，確實整個頂樓平台散佈了百合花，陣陣的風把百合花吹遍了天台，害得那些帶膠手套的警員忙於追逐收集。鄭終於明白為何一走到頂樓，就有一股百合花香撲鼻。

「對呀。據大廳的保安員講，一個多小時前他看到一個胖子拿著一大束百合花進入電梯。相信是有人假扮花店的送貨員，然後混入大廈，來到這裡向直昇機發射炸彈。」

「扮成花店快遞的胖子嗎？現在那保安在哪裡？」

「阿琛和鏘仔已經帶了他回去錄口供和做拼圖。」

「做了拼圖後，」鄭沉思了一會兒，「叫那些手下多做幾個較瘦的版本，再一起發到其他警署。」

「Yes Sir.」Gi Gi 使勁地回應了一句。

圍著好奇觀看的警員，看到鄭錦富走近時都自動讓開。鄭蹲下來，看著地上那支裝有一個電磁手把的膠水管，上面被紗布狀的布料纏著，並塗上了軍綠色，負責證物的軍火專家看到鄭錦富便行了一個禮。

「怎麼樣？」鄭注視著證物。「Recoilless Rifle（無後座力砲）？」

「還不能確定，但那傢伙肯定是一流的！」他說。「這個皮包中的都是些電磁、電線、鉗子和藥水瓶。噢，還有一張紙。」

他把一張放進了透明證物膠袋中的紙遞給鄭。鄭一看便知道那是從上個月的《軍事家》中撕下來的一頁，上面則用黑色箱頭筆寫上幾個字，那期他看過。

T2＋12

會是化學符號之類的東西嗎？鄭心中在盤算著。

「長官。」Gi Gi 在近機房門口的那邊向他揮手，示意他過去。

鄭過來查看，原來警員在那兒發現了一團由白布包著的圓柱型物體，白布表面還有點燒焦，沾滿了炭灰，軍火專家正小心翼翼地把白布打開。

「我們要散開嗎？」Gi Gi 關切地問。

「不用了，」那軍火專家一面說，一面把那東西拿起來。「要是有危險的話，大家早就沒命了。」

「謝謝你的提醒。」鄭敷衍地回應。

他把像紙包糖果般包著那物體的白布打開，出乎意料之外，裡面並非他們預計的爆炸物或火藥之類的東西，竟然是一包純味的麥維他消化餅。Gi Gi 感到很驚訝，但她發現鄭和那軍火專家卻一直盯著那包消化餅，久久不發一言。

「情況不妙。」鄭過了一會兒，回頭看看那支迫擊砲之後說。

「嗯，」軍火專家點頭表示認同，「那設計的傢伙眞是個天才，不容置疑。」

「對不起……但到底這包是什麼東西？」Gi Gi 對他們的對話感到莫名其妙。

「相信疑犯是用布包著這消化餅，然後將它塞進那支迫擊砲的尾部，作爲抵消發砲時所產生後座力的抵消彈。所以疑犯站在那邊向直昇機發砲，抵消彈就反方向的射向機房這邊。」那軍火專家一面指著頂樓的另一端，一面向 Gi Gi 說明。

「哦。」她點頭表示她能理解，接著她又想起了一個問題。「那麼這個也要拿回去嗎？長官。」

「我不餓呀！」

「嗯？」

「那妳很餓嗎？」鄭反問 Gi Gi。

「……嗯？不，不是啊。」她回答。

「那麼如果妳我都不餓，而妳又不介意的話，我想應該把這些消化餅封好送到化驗組。」鄭說著就離開了。

Gi Gi 不禁把視線移到自己的鞋尖，然後用喉嚨發出一些沒有到達口腔的聲音說：「Yes Sir!」

她討厭自己的愚笨，Gi Gi 知道自己在他眼中活像一個女子中學裡的傻瓜女學生。

當鄭錦富穿越了商場外團團圍觀的好奇市民，正打算登上自己廉價的日本房車回到警署時，突然間，他把車鑰匙從車門處抽出，然後環顧人群。人們議論紛紛，先來者把自己的所見——當然加入了自己的想像——告訴後來者，然後一起重組案情。鄭感到那就像《金田一少年事件簿》中的劇情一樣可笑，大家都想進一步了解這次事故的成因，意外？謀殺？自殺爆炸？天氣？人為疏忽？閃光燈此起彼落，有人在推擠間企圖越過警方的膠帶，維持秩序的警員正忙著把這些人推回去。可是人數實在太多，偶爾也有好奇的路人或記者走進商場之中，得要商場警衛和其他警員勸導他們離開。鄭錦富用警察獨有的目光掃向人群。

他會在這些人之中嗎？鄭心裡產生了這個疑問。

根據他的經驗，有些罪犯會喜歡在作案後留在現場圍觀，看著警方如何在現場調查，藉此作爲一種自我滿足和炫耀的行爲，並嘲笑警察不能發現他。

如果要殺直昇機上的人，有數十種方法，何必要大費周章去做自製迫擊砲呢？對方只有一個目的。

炫耀自己的能力。

爲了炫耀，不惜費這麼多心思的人，怎可能事後不留在現場觀看自己的成品呢？

他把目光不停地向人群逡巡。

托爾不禁對這個警務人員感到敬仰。確實，他就是在人群當中，觀看著如馬戲團小丑般的警察，但是，突然這個男人的目光就在他面前掠過，托爾過去從未跟警察有如此直接的眼神接觸，他本能地往人群中退卻，可是他馬上爲了自己剛才的反應而感到羞恥。不曾有警察令他感到害怕，他日有機會的話，定要跟這中年男人較量一下。

托爾苦笑了一下，鬆開了一直緊握著腰間白朗寧的右手，然後轉身向昏暗處走去。

當托爾回到自己用假身分證租住的舊式大樓之內時，電視晚間新聞已經開始了，托爾慶幸剛才出門前記得設定了預設錄影。

今日大約下午五時，位於上環港澳碼頭信德中心對面，一輛由澳門開往本港的直昇機，在正準備降落時發生爆炸。

他並不想錯過任何有關自己的新聞，因此每次不管他執行任務後是多疲累，時間多晚，但他明天仍可以很早便起床，跑到報攤將所有的報紙各買一份，然後剪存所有講述他事蹟的新聞。

機上共有七人死亡，包括兩名駕駛員及五名乘客。另外兩名乘客則重傷送醫，現於瑪麗醫院，目前仍在搶救當中。其中男傷者送醫搶救後證實不治，而另一位女性傷者則極度危急。而地面亦有兩名地勤人員受傷，分別……

當然，他也會看副刊的，因爲偶爾有些專欄作家在談及治安、罪案率等社會民生問題時，也可能會提起他的一些事蹟。其實托爾也曾經認眞想過，去光顧梁思浩的那所替藝人剪報的公司。要知道，在這種資訊爆炸的年代，要由自己看遍所有報章雜誌，然後再把和自己有關的報導剪存，這是不合乎經濟原則的。

托爾不知道，到底梁思浩的剪報公司會不會接自己的生意呢？

……據警方的負責人說，還不清楚這次出事的原因。

螢光幕上，一個記者的聲音向一個外表像商人的便衣警員說：「……那麼現在知道這次事故有沒有疑點？或是人爲因素呢？」

關於這方面，我們警方仍在調查當中。但從現場環境來看，暫時沒有發現證據顯示案件涉及任何人爲因素或可疑的地方，估計爆炸可能是由機件故障所引起的……

脫了一半衣服的托爾停了下來，他早已看慣了警方這類瞞騙記者的技倆。但吸引他的並非這些，而是正在電視中發言的傢伙，正是自己剛才所遇的中年警察。

「機件故障……」托爾喃喃地唸著，但是他明白，這警察只是一塊骨頭而已，現在他應先把這塊骨頭擱在一旁，然後好好去洗一個澡，因為他知道一會兒還有另一個更重要的目標在等待他。

老人應該高高興興地讓位給未來的世代。

托爾非常認同盧克萊修⑬在《物性論》中說的這句話。要是輪到他自己成為老人的話，也會根據此原則來行事，甚至乾脆死了算了。可是並非每個人都像托爾或盧克萊修般想得如此豁達。

今年二十三歲，入行只有三年（嚴格來說是兩年十個月）的他，憑其天賦和令人嘆為觀止的技術，在任何目標不能預計的時間或地點進行暗殺，這教他很快便冒出頭來。他在很久以前已經是行內出色的殺手。

可是這行業本質上是跟別的行業沒有分別的。這裡的人盲目地相信年資和輩份，集團不會把大額的生意交給托爾，那些生意會到些老鬼手中，而托爾只是有些三、四十萬港幣的訂單，他希望把價錢提高，可是卻被他的二拆阿 Bill 所阻。

「不要嘗試挑戰前輩，」那個印尼華僑這樣對托爾說。「做到自己階級的最好就夠了。當你還算得上是後輩時，人人都扶你一把，可是一旦你破壞了遊戲規則，企圖爬到他們的階層時，形勢變了，你變成了箭靶。」

「反正都像公立醫院排隊看病一樣，何不耐心一點，總會輪到你嘛。」

可是這正是托爾所厭惡的論調，任何行業都可以排隊，唯獨這行業不行。他絕不能接受把自己一生中最巔峰的時間花在排隊上，如果變成了一個腐朽膽小的老傢伙的話，即使輪到了也沒有意思。

他必須主動加速候診的時間，而最有效的方法，就是減少那些排在自己前面的病人。托爾喜歡 Bill 這個候診的比喻。

沒有任何人會比等候看病的病人更適合提早死亡。

因此對托爾來說，所有前輩都只是一頭死在奧德修斯⑭手上的野豬，牠們的存在就是要讓托爾肯定自己的價值和力量。

所以他必須讓行內第一號人物知道自己的力量與才華，好讓他死在托爾的槍下時會感到安慰，知道自己並非死於一個無名小卒的手中，不會有「盲拳打死老師父」之嘆。

托爾光著身子從浴室中出來，看看牆上的鐘，時間已經差不多，於是他走到電腦前面，開啓了電腦，並接上盜拷的水貨手提電話，鍵入這個花了他六位數字買回來的秘密號碼。托爾心想，要是這號碼不通或是假的話，他必定會用啞鈴把那線人活生生打死。

不一會兒，網絡的線路接通了，托爾開始緊張起來。感覺就像一個去朝聖的虔誠清教徒。

他用輕微顫抖的手指鍵入開場白：**我替你想了一句刻在墓碑上的遺言。那就是：「逃避死亡的人是追逐死亡⑮。」**

托爾聚精會神地注視著螢幕，他正等待對方的回應，但他可以感受到對方的驚訝。

良久，對方終於作出了回應：**你是誰？**

托爾飛快地鍵入：**你會喜歡這句遺言嗎？我用了許多時間想出來的，O。**

那邊又停了一會兒：**你從哪兒得知這號碼？**

「Yes!」托爾用拳頭作了一個打向電腦狀。他知道他所花的錢並沒有白費，那邊的正是O——這個在行內被傳爲不會死，而且仍然活著的第一高手。

托爾輸入：**我早就認定你是存在的，許多人說你根本不存在，或者不是一個人，而是一個工作小組的暗號。但我不相信這類廢話，我知道你是一個人，一個獨立的、活生生的人。你知道嗎？你是我的偶像呀！**

O：**多謝！你到底是誰？**

托爾：**Asathor，但你可叫我 Thor，你要記著我的名字！Mr.O——可以在前面加上「Mr.」嗎？**

O：**爲什麼？我只會記得目標的名字。你要我記得你的嗎？**

托爾：我沒有目標，只有拍檔，他們都是我的拍檔，沒有他們的配合和協助，我不可能獨力完成它啊！正如今天一樣，那直昇機師的勇氣和守時也是值得欣賞的。

O停了一會：下午的事是你幹的嗎？

「你有留意我。」托爾自豪地笑了起來，「你有留意我。」於是他鍵入：你喜歡嗎？我想，我應算得上是個謙厚的少年，因爲我不會把所有榮耀都歸功於自己，我的成就是屬於大家的，機上每個人都有份。

托爾看到自己的句子，不禁得意起來，他感到自己這番話彷彿就像在奧斯卡頒獎典禮中得獎者的致謝辭一樣。

O輸入：根本沒有什麼榮耀可言。只是生意而已。

托爾一方面不難感受到，O在電腦的另一端驚訝——托爾竟然能稱自己爲一個「謙厚的少年」，但另一方面他又爲了O的回覆而感到驚異：只是生意？難道你不認爲有藝術成分存在嗎？

O：我不認爲。

托爾：很難想像一個幹得這樣出色的人，原來只是把它當成一局生意。你一點也不愛自己的工作嗎？

O：我比較愛自己的生命。

「但他即將消失。」托爾喃喃說著。輸入：這多教人感到失望。我現在想，大概德謨克利特的另一句話更適合你：「與其說活得不好，不如說是慢性死亡⑯。」你喜歡看德謨克利特嗎？

O輸入：我愛看《老夫子》多一點。

「哈哈。」托爾笑了起來，他喜歡那傢伙的一份幽默感：那麼大概你對年輕人仍存在著如同王澤（畫《老夫子》的）一樣的偏見，認爲年輕一代只是些男女不分、頭髮蓬鬆及滿身俗氣飾物的不良份子吧。除了讓老夫子等人痛毆外，沒有一點存在價值。對嗎？

O輸入：謝謝你的心理分析，要不是你提醒，我還沒有留意到。你到底從哪兒得知我的號碼？

托爾：你怎麼啦？我們本來還談得很投契呀！

O：沒有人跟你投契。告訴我，從哪兒得知這號碼？

托爾嘴角泛起了笑容，他知道他開始動氣。於是他鍵入：我會讓你知道，我可不是你和王澤眼中的年輕人呀！

再見！

此時O迅速輸入：不，等等，爲何你找我？

托爾輸入：我奶奶教的。要跟比自己有才能的人交往。

「Yes!」托爾說著便終止了通訊。

註解

①C-4：塑膠炸藥。爆速每秒高達26,600呎。

②變性酒精：（Denatured Alcohol）酒精（乙醇）之含有變性劑如木醇或吡啶。

③硝酸銨：（Ammonium Nitrate）NH_4NO_3分子量80.05。無色或白色粒狀，用作製軍用炸藥、殺蟲藥及肥料等。

④鋁粉：（Aluminum Powder）Al銀似金屬固氣。爲合金、火磚、合成氨催化劑。

⑤白朗寧：（John Moses Browning, a855-1926）美國著名槍械設計師，與Winchester公司不和而移民比利時，並與當地廠商Fabrique Nationale合作，生產「白朗寧」手槍，而於廿世紀初開始風行世界。

⑥9mm RUGER：Fabrique Nationale生產之著名白朗寧手槍，裝彈十三發。其特點爲火力大，操控簡易及性能優越。

⑦加布里洛・普寧契夫：十九歲的塞爾維亞學生，爲塞爾維亞一解放被奧地利統治的秘密組織「誓死同盟」成員。一九一四年六月二十八日，奧地利皇太子費迪南大公夫婦到中歐的塞拉耶佛檢閱陸軍，「誓死同盟」派出七名殺手行刺，結果身爲其中一員的普寧契夫將大公夫婦擊斃，史稱「塞拉耶佛事件」，此事直接引發了第一次世界大戰。

⑧胡克：（Sidney Hook, 1902-）現代哲學家，主要作品《歷史中的英雄》。

⑨布魯托斯（Marcus Junius Brutus，公元前85-42）：羅馬帝國凱撒大帝的親信，於公元前四十四年三月十五日，在元老院會議上串通四十多位元老，一同刺殺凱撒，結果使帝國落入凱撒另一親信安東尼的獨裁統治。後與安東尼對立，於一場戰役失敗後自殺。

⑩武士英：又名吳福銘，山西平陽龍門人，於一九一三年三月二十日，在上海車站刺殺國民黨代理理事長宋敎仁，

遂令袁識凱能順利登基稱帝。

⑪硝基甲烷（Nitromethane）：CH3NO2，無色液體，比重1.139（20./20.）。供化學藥品合成用。

⑫岡守廣三：（1948-）日本赤軍的主要成員，爲一九七二年以色列盧德機場襲擊事件的主謀。一九九七年二月於黎巴嫩被捕。

⑬盧克萊修：（約公元前99-55）古羅馬時期傑出的唯物主義者。主要作品爲《物性論》。

⑭奧德修斯：（Odysseus）古希臘神話特洛伊戰爭中的英雄。在幼年時代已經戰勝了一頭野豬，以證明自己的力量。

⑮逃避死亡的人是追逐死亡：出自古希臘唯物主義哲學家德謨克利特（約公元前460-370）的著作殘篇。

⑯與其說活得不好，不如說是慢性死亡：同⑮。

3 刺客生活哲學・中伏・第一次約會

O在關了機後推想了很久，到底托爾會是誰。

這個秘密號碼是專用來作行動聯絡用的，只有七叔、某些軍火販子和走私客擁有這個號碼，但都只是作生意上的聯絡。

電話本身是非法水貨，而網絡由於是盜拷的線路，並且每次轉接全球多個不同地區的轉接站，又有反干擾追蹤系統，因此被追查到號碼和所在地的可能性極微。當然，也不可能在分類電話簿中查到。否則，這所收取每分鐘九十美元昂貴電話費的非法電訊公司，也吸引不到中南美的毒梟、全球各地的刺客、恐怖分子和綁匪的光顧。

因此，O可以肯定，有人把他的通訊號碼外洩了。雖然這暫時不會構成什麼實質的影響，可是這意味O的保護系統出現了嚴重漏洞，這多麼教他感到不安和驚愕。

這套保護系統O已經沿用了五年，自從哥哥出了意外，O就將其對刺客的理念付諸實際生活當中，其間亦不斷加以修正和改良，逐漸演變成他的刺客生活哲學。

而這生活哲學的大前提只有一個，那就是「保障O能自由地生存下去」。「自由地」當然包括了生命不受威脅及免受任何法律的制裁。

關於O的刺客生活哲學。

一、身分

首先，O並不贊同他哥哥所說的，刺客必須無身分、工作、固定居所及朋友，以免留下任何線索。相反地，他認爲，一個離群獨處的人更加引人揣測，一旦被稍微調查一下，疑點馬上暴露，身分更可疑。

O認爲一個成功刺客必須擁有一份正當而穩定的職業，令人對他不會產生懷疑，因此他特別在旺角的商業中心租了一個小辦公室，開設一所貿易公司作爲掩飾，這樣可以避過別人的懷疑，也可讓收入來源變得合法。

O原名並非陳浩然，而叫馬志豪。但爲了避免碰上過去的舊同學、同事而引起不必要的麻煩，因此他在入行不久便到戶籍機構，把自己的名字由馬志豪改爲陳浩然。用陳浩然這名字並無特別原因，只因爲這個名字實在太普通了。全港有超過四十個陳浩然。單在香港電訊登記電話的姓名當中，就已經有十個。這樣連姓氏都換掉，即使在街上碰到苦纏的舊同學時，只要死不相認和亮出身分證就可擺脫他們，也不會引起懷疑。

可是，當O把這個構想告知哥哥，哥哥一直看著O不發一言，良久臉上才擠出一個無可奈何的笑容。

「怎麼樣？」O問他。

「沒什麼。」

「眞的嗎？」

「只是感到有點害怕而已。」O的哥哥說。

「害怕什麼？」

「你。」他跟O說。

二、收入

O先分別在巴哈馬①、瓜地馬拉②、格瑞納達③，以及巴拿馬④等國家註冊成立公司，這些國家有幾個共通點：小而貧窮，爲了吸引外來資金而設立保障投資者的保密制度，令外國難以追查這類公司的資料。

而O便將每次行動所得的酬金存入這些公司，然後以在香港的貿易公司名義向這些公司貸款，於是來歷不明的金錢轉眼就成爲合法的貸款。當然，除了用作生活經費外，大部分的資金都存在瑞士及奧地利銀行的匿名戶口中。

爲免將來警方有一天會盯上他，懷疑他的財務狀況，因此，O會長期向銀行作小額貸款，然後分期攤還。這樣所花費的只是小額的利息，卻是一個很好的掩飾辦法，任何人都不會懷疑，一個向銀行申請六萬元貸款的小商人是行內的頂級刺客。

而直到一九九三年，O便開始把資金分散，匿名戶口和中美洲註冊公司繼續使用，但大部分的酬金和清洗後的款項，O都注入一個位於加勒比海，主權獨立的島嶼阿魯巴（Aruba）。這個跟委內瑞拉相隔十五公哩，面積只有六十九平方哩的小島，在1:42,300,000的世界地圖上小得根本無法找到，甚至不會標上名稱。要不是西西里黑手黨的介入，這島根本不會引起世人的留意和注視，可是現在對於全球的跨國刺客和老千來說，阿魯巴已是耳熟能詳的地方。

因爲它已是組織犯罪史上，第一個由國際黑幫合資所控制主權獨立的領土。

爲了在美洲從事販毒活動，全球最龐大的黑幫家族：西西里島的西庫里安（Siculiana）、委內瑞拉卡拉卡斯的庫特雷拉（Cuntrea）兄弟——巴奧洛（Paolo）和巴斯夸雷（Pasquale），便於八十年代末期開始，斥資近十億美元，收購這個島上每一樣重要和他們認爲看似重要的東西。包括島上的所有飯店、賭場、觀光業、銀行、土地、建築物、警察、海關、司法部長、總理。甚至是執政黨和反對黨。

而由於黑手黨的接管，令這個擁有六萬五千名居民但無人需要納稅的前荷蘭殖民地，仍能維持異乎尋常的繁榮。大量來路不明的資金流入島嶼，使它變成了黑手黨在美洲的總部，這樣的地方，自然會成爲國際刺客和老千們的烏托邦。他們只需花上五千美元的資本，就能在當地成立「阿魯巴免稅控股公司」（AEC），以匿名股東的身分清洗黑錢。

這對於O來說自然也不會例外。

三、進修

當刺客其實可以說有著許多空閒時間，但又可以忙得很厲害，端視你選擇當一個怎樣的刺客。O知道，同行在收到酬金後都很喜歡到夜總會和賭場，而且出手也闊綽得很，通常這樣，不消三、四天，就能把一次行動的酬金花得一乾二淨。O不打算批評同行，畢竟每個人都有權選擇自己的生活方式，但他絕不會這樣做。O在每次收到酬金後，除了作一般固定開支外，通常都會出國，表面上是旅遊，實際上是藉此機會到外地進修。例如到南美等地作各類型的實彈射擊或飛機駕駛的練習，往歐洲參觀一些槍械武器廠商的展銷會，有時則會去學習某類專門知識，如電影技巧化妝及證件製造技術等。這些動輒花費數十萬元的進修，O是絕不吝嗇的。因爲他知道自己只要懂多一點技術，自己的安全也會有多一點的保障。

而在香港的日子，O會留心所有報章和雜誌，並訂閱各種外國的時事雜誌，因爲O了解，身爲一個刺客，認識政局是非常重要的，所以他對各類時事、社團犯罪活動要有相當認識。因爲O知道，一個一流刺客的身分僅次於上帝。甚至可以算得上是「執行上帝」或「代理上帝」。要是對其他事一竅不通，那如何能擔當上帝代理人的工作。

因此刺客和知識是分不開的。

四、生活

過去O的哥哥在這方面一直沒有認眞處理，有時O回想起來，甚至會認爲這是他遇伏身亡的主要原因。因此當O成爲一個正式刺客後，他對這方面會特別注重。

首先，他會嚴格執行運動制度，不管那天有多疲累，仍堅持每天在睡前及醒來的時候，作一百次的掌上壓、一百五十次的仰臥起坐、五十下的引體向上及兩百下的舉重。本來O還希望每天作一公里以上的跑步，可是這有違O的保護原則：固定且長時間暴露於戶外，對刺客來說是危險和不理智的，所以O最後也打消了這念頭。

飲食方面，O均以簡單健康爲主，平日一般主要是吃水果、芹菜、小蕃茄，冬季則會加一點肉，增加熱量和體力。

而一直喜歡喝可樂的O，自從當了刺客後已戒絕了，因爲高糖分的飲料會令他體重增加，影響其體能和行動時的靈活性。

有時晚上O面對鏡子，也會自豪於自己三十二歲了，仍沒一點兒小腹，身體肌肉仍是那麼結實，完全沒有一點兒鬆弛或老態。撫摸著自己的身體，他可以淸楚肯定自己仍處於巓峰。

他知道，即使是丁點兒的贅肉或小腹，也可以叫一個刺客喪命。

但O仍舊會不時懷緬喝可樂後打嗝的快感，因此他開始喝沛綠雅（Perrier）礦泉水。同樣有打嗝的快感，但沛綠雅不會致肥，符合O的原則，因此他漸漸愛上了喝沛綠雅，甚至把它當作開水般飲用。這大概會讓當年決定將沛綠雅推銷至外地的拿破崙三世感到安慰吧。

當然，自從二十三歲入行以來，他就聽從哥哥的吩咐戒掉了菸，因爲吸菸者的手抖會影響使用狙擊槍時的準確度。有時他懷疑自己是否已經忘記了吸菸的方法，要是現在他再點起一根香菸來抽，大概已經不懂得如何把煙從鼻孔噴出來了。

酒也是不能喝的，酒精最容易讓一個刺客的防衛性降低，更有可能讓他洩露身分。

出外光顧餐廳，O也會分外小心，同一間餐廳他在一個月內不會光顧超過一次，每次去也是匆匆地吃，吃過後就馬上離去，不會有任何不必要的搭訕，而小費方面也會適中，因爲他過往曾當過服務生，所以最明白侍應生會對任何付得太少或太多小費的客人存有印象。

與陌生人說話，O保持一貫簡潔但有禮貌的態度，避免任何不必要的衝突。粗話是絕對不可說的，有不少次O被街上鬧事的流氓們以粗言惡罵，但他也沒有回應一句，只是匆匆離開。

衣著方面多數以深色爲主，並會買比自己大一號的尺碼，這較方便在衣服裡面藏槍械。鞋子也會大一個尺碼，就算留下脚印也無法追查。

O對生活上每一小節都有嚴格規定，甚至洗頭水他都堅持使用含焦油的牌子，因爲這能令他不會在案發現場留下頭皮。

除此之外，O經常強調一點，刺客不是流氓，只有流氓才會隨身攜帶手槍的。一個刺客如果不是在執行任務，就根本不應攜槍在身（除非身處槍械合法化的地區），以免暴露身分。至於自衛方面，O只會帶刀之類的利器，他已想好了一旦被警方發現時的理由，他在家中存放了大量的道具和仿眞槍，還有一些外國軍服、飾物，一旦警方以藏有攻擊性武器的罪名拘捕他，他便會辯稱自己是一個軍備收集迷，只是一時貪玩才會攜刀在身。只要警方找不到他跟任何兇案有關連，加上他本身有正當職業，法官很可能接受他的解釋的。因此O只需爲此付罰款或守行爲而已。而過往也曾有過不少這類例子。

O認爲一個刺客的死，沒有比因攜槍到街角買宵夜，被巡邏警員截查時反抗，然後在混亂槍戰中被擊斃那樣更沒有價值兼可笑。

可是，O卻認識三個以上因此類事件而死或被捕之同行。

五、住所

O自從哥哥的意外後便結束了所謂「每個地方不住上半年」的形式,停止了不斷的搬遷，並用私人公司名義購買了一個位於茶果嶺麗港城的五百呎單位，作爲住所地址。這樣一方面可掩飾自己的身分，另一方面也便於申請各國的入境簽證。

因爲如果有物業，就不會被移民官懷疑是打算非法居留。

可是，地址既然是登記了，就有被查出的可能，爲防止警方或O的仇家可能找上他，因此他並沒有眞的住在那裡，它只是一個掩飾和僞裝，就像一個站在田野間的稻草人一樣。

那裡的佈置是經過O精心挑選的，家中都是整潔而帶點純眞的擺設，牆上掛了一幅米老鼠的圖。睡房的雜物櫃裝滿了各式各類型的槍械，都是銲死了槍管，只能發射空包彈的道具仿真槍。還有一大堆軍事和戰爭遊戲類的雜誌。

像一個愛玩槍大男孩的家。說實在的，作爲一個三十來歲單身男士的住所，它顯得有點幼稚。

可是O感到沒啥大不了，因爲他在一年中不會留在那兒超過五個小時。因爲他覺得只要留在那間屋中，就有一份潛在的危險。

所以他的眞正住所並非那兒，而是位於那單位遠遠的對面，觀塘區一所工業大廈的一個千餘呎的單位，前一位住戶是一個零件加工商。自從O搬入後一直沒有重新裝修，地上凹凸不平，滿是碎石和塵埃，牆上的透明漆都開始剝落和出現裂痕，有些柱子甚至露出了鋼筋。可是O並不關心，因爲這對他來說只是一個藏身的壕坑，說不上是一個家。門口左面的角落位置，堆積了前人搬遷時遺下的大量瓦礫，O在五年內沒有走過去看看。

他只是買了一台冰箱放於雜物室，然後替自己添置了一張床、桌子及一個時裝店掛衣服用的鋼架等簡陋家具。

在這裡，可看到隔著排水溝和高架公路的那麗港城單位。然而，在每個不用工作的晚上，O也會留在這樣的破屋之內，倚著窗，用望遠鏡監視那個有點屬於而又不眞正屬於他的家，看看會不會有仇家或警察上門找他。

而當阿雯一個人拿著玩具槍，在屋內跑來跑去，裝著一副女幹探跟悍匪搏鬥的剽悍樣子時，她不知道在對面不遠的一座工廠大廈裡，正有一個人在黑暗中觀察著她。O不禁笑了起來，他的臉上已經很久沒有出現過笑容。

阿雯是O請來的人，負責替那麗港城單位打掃，他是從超級市場的兼職告示板上找到她的。一個星期她會有三個晚上來到O的住所，替他打掃一下地方，或繳交一些雜費。另外，她又會到O的辦公室打掃，並將一些重要信件和傳眞，釘在O家中那塊松木告示板上。O曾再三叮囑她要將每張告示分開釘在板上，不要疊在一起，阿雯對此並不明瞭，只把這當成O的一種潔癖而已，沒有加以深究。她根本不知道文件必須每頁分開釘，是爲了可方便O用望遠鏡觀看，這亦是O把松木板裝在窗前那面牆的原因。

O告訴阿雯自己經常要出差，因此很多時候會長期不在家。阿雯要是有什麼告訴O的話，只要寫張便條貼在板上便可，而O有時亦會傳眞一些便條回來，交代她要做些什麼。因此，阿雯除了第一次應徵見面之外，再沒有見過O。在她的心目中，這個老板似乎有點怪里怪氣，但見他的傳眞和傳呼都不曾間斷，偶爾還有電話回來，而且每個月月底，她的薪金和雜費開支都會準時存入她的帳戶，所以對於O的事她也從不關心。

廣東省清遠的飛來寺

在寺外的小孩，每人都拿著一個個盛了水的紅色膠袋，袋裡面有大大小小的魚兒。他們圍著那些剛下船前來參拜的信衆，希望他們會買一條魚來放生，只要他們付出五角、一元的價錢，小孩就會把那條魚拋回河中，讓善男信女積德。

「先生，買一條魚放生吧，福有攸歸啊。」

O被一個大約四、五歲的小孩拉著，O看到這小孩並沒有穿鞋子。雙腿沾滿泥濘。他從袋中拿出了一元，替小孩買了他手上最大的一條魚，於是小孩接過錢後便馬上沿樓梯跑向河邊，把魚放生。但O很懷疑，到底這魚會在什麼時候給人再次撈上來，然後再被人放生。不斷循環，直到一天牠長大得可供人煮食爲止。

O放棄再想下去。

飛來寺就位於西江⑤旁邊，寺前的樓梯可直達河邊碼頭，參拜的信衆不論前來或是離開，都要經過這樓梯乘接駁艇往來。而陡斜的階梯，將會令目標完全暴露於槍管之下。西江的對岸距離寺廟約四百公尺左右，那邊是茂密的叢林，絕對適合隱藏，加上沒有任何障礙物阻礙視線，因此這個地點極爲合適。

O在廟裡上過香後便步出飛來寺。他本身沒有任何信仰，只不過既然裝成遊客來這裡參拜，就要避免引起懷疑。

O沿著樓梯走向碼頭，他嘗試感受一下目標可能會停下來的位置。他們會帶槍嗎？O心中這樣問，但他認爲可能性不大，因爲目標和他的兒子、姪子是經海關入境的，因此不可能攜槍前來。

他們會看到我在對岸的叢林中嗎？有可能，因此在擊中目標後一定要馬上把瞄準鏡的蓋關上，避免因爲瞄準的反光而被發現。

這裡距離最近的醫院超過一小時的車程，因此選擇在此地行刺，目標就算沒有即時死亡，但能救活的機會也極微。

而當O乘接駁艇離開時，那個沒有穿鞋子的小童仍繼續遊說其他信衆買魚放生。

O慣於在每次行動前，都先視察現場環境，然後站於預計目標會被刺的位置，想像一下他可能的感受，他在那位置會看到些什麼？要是他發現自己被襲時，他會往哪個位置躲避？也要事前預計在第一射擊點射失後，第二個可能的射擊點。

「除非目標距離是在六十公尺以內，加上你有信心能擊中目標的延髓⑥位置，讓他馬上癱瘓和死亡，否則作爲一個狙擊手，第一槍就不應瞄準目標的頭部，因爲在二百呎以外射擊一個約兩英吋的目標，子彈極有可能因風向或其他原因而有所偏差。」

「要是第一槍失誤的話，就會引起目標的警覺。繼而會馬上逃走或反抗。」

「所以如果距離遠的話，瞄準目標的心臟和腰部都會是很好的選擇。」

O在乘車回酒店的途中，想起了哥哥生前的一段話。

O的哥哥出事時，是O入行的第三年。

那次的目標，是一個在新界區著名的鄉紳，由於他深居簡出，因此二人等了許久，才等到了他回圍村吃拜拜的機會。於是O的哥哥便攜同槍械馬上趕到圍村，由於收到消息時已經很晚，因此來不及先到現場視察，他們便得馬上趕去。一去到圍村附近，馬志輝立刻摸黑到了山邊的一塊大岩石上佈防，那是射擊圍村入口的有利位置，而O則找到了另一處制高點，掩護在岩石上的哥哥。

「你那邊怎樣？」對講機中傳來哥哥的聲音。

「正常」O回答。「大概他也要一小時後才出來……我總覺得我的槍管有些偏差。」

「沒問題的，你瞄準時自己調節一下就好了。還記得會合地點嗎？」

「OK……不過下次可否叫七叔找些新貨，我總感到這二手槍並不可靠。」

「其實他有他的難處的。這個遲一點再談吧……你有沒有想過，我們這次辦妥後，會去哪兒渡假嗎？」

「這個我倒沒有想過，……不過說實在的，你知道哪兒會是沒有發生過戰爭的嗎？」

「……什麼？你說什麼？」哥哥問。

「你知道哪裡沒有發生過戰爭呢？我倒想到那兒渡假。」

「很討厭戰爭嗎？」

「不特別討厭。只是，」O想了一會。「在有戰爭或可能有戰爭的國家，總是算不上眞正的渡假，你說是嗎？」

「這個我可不大清楚，只是世界上很少有國家並沒有發生過戰爭。一個國家的建立，難免曾有些起義式獨立戰爭之類的東西。因此只可能說是某一年之內沒有發生過戰爭的。很難有從未發生過戰爭的國家。」

「那不如定個界限吧。譬如說是……第二次世界大戰吧。你知道，哪個國家是自從二次大戰後，直到現在也沒有發生過戰爭的。」

「你指怎樣的戰爭？」

「……與鄰國的爭端、侵略呀……諸如此類。廣義的戰爭。」

「這個，我大概要想想，」哥哥想了一會，O能在聽筒中聽到他將子彈上膛的聲音。「瑞士，算嗎？」

「瑞士……瑞士算一個。還有嗎？」

「日本？」

「日本……似乎勉強一點，它有赤軍之類的問題。還有嗎？」

「那要再想一下……等等。」馬志輝的語氣突然凝重起來。

「什麼？」

「目標的司機出來了，看到嗎？」

O馬上舉起望遠鏡，果然目標的司機已從祠堂中走出來，步向目標的那輛賓士房車。

「我看到了。」O向著對講機說。

「大概他將要離開了，準備。」

「OK。」

司機開始開動車子，似乎是要把房車從停泊的荒地那邊駛向圍村口接載目標離開，一切都進行得很順利。

可是O感到有一股不尋常的氣壓開始凝聚，就在房車駛近圍村的一剎那。暗黑的山腰中突然閃出了幾道火光，震耳的巨響劃開了夜空。O馬上覺察到那是槍聲。

「Fuck!」哥哥在對講機中叫起來。「有埋伏。」

那班人似乎早已預知到哥哥會在那岩石上，因此早已包圍岩石。在O的位置可見敵人的火舌形成了一個半圓形。

「怎麼樣，可以退過來這邊嗎?」O問他。

「我不清楚，這兒看不到他們……」

「三點，三點鐘方向，有一個人。」O一邊舉起手中的六四式微音SMG⑦向逐漸迫近的敵人還火。「距離一百五十公尺，就在小徑的斜坡。」

「我看到，我看到他。」於是馬志輝用狙擊槍向斜坡開了兩槍，那兒的火舌馬上熄滅，大概那人已被擊斃。

「他們有很多人……」哥哥說道，「你向荒地那邊走吧。」

「那麼你……」O一邊射擊一邊說。

「你先走吧，我待你走後會往反方向走，十分鐘後在B點會合吧！」

「不，你要馬上走，他們的人太多了。」

「我還熬得住。」那邊不斷傳來槍聲。而且顯得越來越近。

O的哥哥仍守在岩石上，不斷用狙擊槍向迫近的人還擊。有四、五個人都相繼倒下，可是他卻被包圍的人困死在那裡。雖然有部分火力被O牽制了，交織的火網使得馬志輝不能從石上退下，他稍稍抬頭，一排衝鋒槍的子彈就馬上打過來。槍嘴的火焰照得叢林彷如白天。槍聲充滿了整個山頭。

「□，走呀！」哥哥叫道。

O聽不清楚哥哥喊「□」是「豪」還是「O」，他那邊也被對方迫近，於是他大叫一聲，然後從樹後撲出，一面向叢林掃射，一面向荒地那邊逃走。他沿小徑一面走，一面叫喊、開槍，企圖吸引敵人的注意，可是從岩石那邊傳來的手槍聲越來越密集，甚至完全重疊在一起，無法分辨出距離。

最後，槍聲靜了下來片刻，接著O聽到一排機槍子彈射出。

那是確定對方已被擊斃的槍聲。

O知道，哥哥已經死了。

他沒停下來，只是一直跑，那些人聲、槍聲漸漸遠去，他隱沒於漆黑之中……

O在約定的通訊時間前回到廣州的酒店。

當他開啓了電腦後不久，七叔的電話就來到了。

七叔：O？

O鍵入：**貨準備好了沒有？**

七叔：OK。

O：**是全新的嗎？**

七叔：**是**。

「這就好。」O喃喃地說著，接著鍵入：**能替我安排把貨運上廣州嗎？需要幾天的時間**。七叔這樣回答。

O喝了一口沛綠雅，鍵入：**我會再通知你正確時間**。

O想了一會又再鍵入：**我最近有點小麻煩**。

關於什麼？七叔問。

O：**有一個無聊的傢伙知道了我這通訊號碼**。

七叔：**那你知道他是誰嗎？**

O：**不知道**。

七叔：**我替你打聽一下吧**。

O鍵入：好的，再見。

七叔：再見。

於是O終止了與七叔的對話，把手上那瓶沛綠雅一飲而盡。而當他正打算關上手提電腦的時候，螢幕上出現了有來電的訊號。

想念我嗎?螢光幕上出現這句話，O馬上意識到是那個叫托爾的傢伙。

O鍵入：你到底是誰?

O可以感覺到對方正在那邊冷笑。

「你害怕我，是嗎?」托爾鍵入：你其實不應這樣害怕我，也不應害怕死亡。正如叔本華⑧所說，我們無所懼於死亡，正如太陽無所畏於黑夜一樣。⑨

「叔本華只是跟你說笑而已，想不到真的有人信。」O一面搖頭說一面鍵入：你不懼怕死亡?

托爾輸入：我不怕死，只是怕自己消失。難道你不覺得，沒有了自己存在的世界，是難以想像的嗎?你知道賀邦漢和吉長博的故事嗎?

O：不知道。

於是托爾鍵入：他們都曾是金日成⑩的得力助手，可是有一天他們被清算，於是政府下達命令，要全國上下人民一起把所有提及過他們名字的書本修改，於是乎不論政府文件或學校課本，他們的名字不是被墨水塗黑，就是被削筆刀刮掉，他們也因此成爲了「不存在的人」。

你說這感覺不恐怖嗎？

「我可不喜歡自己的名字在課本上呀。」O笑著說，接著鍵入：**不知道。**

「你當然不知道啊！因為你從沒想過要名留青史。」托爾一面笑說一面鍵入：**我經常在一個問題上徘徊，那就是怎樣才算是一個偉大成功的殺手啊？**

「只要不死就成呀！」O自言自語。

托爾繼續輸入：**我時刻都渴望進入歷史的永恆範疇，震古爍今。就像司馬遷⑪筆下的曹沫⑫或荊軻⑬一樣。**

O馬上反駁他：**他們不是因為當殺手而成名的，他們講的是政治理念，而不是為錢賣命。**

托爾：**不見得。像聶政⑭刺俠累⑮，那只是一個殺人犯受僱殺人吧！沒有什麼理念或是非可言。**

所以我想，當我快死的時候，我會找一個懂得寫東西的傢伙，替我寫下我所幹過的一切。作為一個有時代意義的殺手，這是必須的。

你明白我的意思嗎？

O：**對不起，我不是想掃你的興，但我現在真的沒有興趣在此上歷史課或哲學課，如果沒有特別的事，我不想浪費電話費。**

於是對方鍵入了訊息：**好了，那就不再拐彎抹角，我們約會吧！**

「哼。」O苦笑地望著螢幕。接著用開玩笑的態度鍵入：**我們只是第二次通話而已，你**

不覺得這樣的發展速度快了一點嗎？

托爾：我相信世界上有一見鍾情，你會相信嗎？

O想了一會後便輸入：只是通常這樣開始的關係，一般都不會長久。

托爾：我願意嘗試。

O的面上泛起了靦腆的笑容。

托爾繼續輸入：明天，17:30。中環廣場往香港會議展覽中心的行人天橋。

O：我們要互相形容一下自己的外貌嗎？

托爾：會找到的。我眞的很希望你來一下，有些事情在現場看總比在電視上看更爲精彩。

O鍵入：舉個例子。

托爾：SHOW!

然後托爾終止了通訊。

O也關掉了手提電腦。他開始有點睡意，一方面因爲今天他已走了很多路，加上他想到明天要早點起來收拾行李，因此他很想去睡覺。

可是，還得做運動，於是他嘆了口氣，然後躺在酒店的地氈上作仰臥起坐。

註解

①巴哈馬：（Bahamas）位於中美洲的一國，總面積 13,935 平方公里。

②瓜地馬拉：(Guatemala)位於墨西哥的南面。總面積108,889平方公里。

③格瑞納達：(Grenada)位於南美委內瑞拉以北之一島國。總面績344平方公里。

④巴拿馬：(Panama)位於南北美洲的交接位置。總面積770,082平方公里。

⑤西江：廣東省北江支流。

⑥延髓：(Medulla Oblongata)又稱末腦(Myelence-phalon)面積只有2英吋，是形成腦幹最下部的脊索上端在顱內的延伸部份。負責調節心臟、心管、呼吸、唾液分泌和香嚥的中樞。

⑦64式微音SMG：中共設計生產之衝鋒槍，有消音、消焰及消煙效果，針對近身戰之武器，越戰時期北越軍就曾使用這種槍。

⑧叔本華：(Schopenhauer, 1788-1860)著名德國哲學家。

⑨我們無所懼於死亡，正如太陽無所畏於黑夜一樣：出自叔本華所著的《作爲意志和表象的世界》。

⑩金日成：已故北韓國家主席。

⑪司馬遷：(公元前135-87)西漢著名史學家，著有《史記》。

⑫曹沫：春秋時代之魯國將軍，曾在齊、魯兩國的柯邑之盟上，用匕首挾持齊桓公，強迫他歸還魯國土地。

⑬荊軻：戰國時代之衛國人。曾受燕國太子丹所託，把匕首藏於地圖內刺殺秦始皇，但最後失敗被殺。

⑭聶政：春秋軹邑深井里人。以屠宰爲業。受嚴仲子所託，刺殺與他有仇之俠累。

⑮俠累：春秋韓哀侯時之宰相。

4 沒有不好看的電影預告片‧下墜的電梯‧橋上的演講

在有組織及三合會調查科大房內，瀰漫著一片煙霧，這些煙已經不知困在房內多少天了。雖然鄭錦富關上了辦公室的門，可是煙味仍從門縫滲進來，害得鄭只好把房內的窗子打開，好讓空氣流通一下。

他正在用桌旁二合一的電視，觀看著錄影帶，當他伸手拿那半杯已放了兩天的奶茶時，發現裡面不知被誰扔進了一個菸蒂。

大概會是鏘仔吧。

此時，阿琛和 Gi Gi 敲了門後進來。

「鄭 Sir。」二人向他行了一個禮。

「怎麼樣？和合圖那裡有什麼消息？」鄭一面問他們，但眼仍盯著電視螢幕。

「我們大都問過了。」阿琛說。「雖然港澳碼頭一帶是和合圖的勢力範圍，可是他們也沒有什麼消息。」

「對，可能這事跟他們沒有直接關係。」Gi Gi 補充說，她留意到鄭正在作快速尋找，似乎在找尋一些東西似的。

鄭錦富沒有回應，良久才開口：「你們知道，兇手在現場的袋中，留了一張紙。」

「知道啊。」阿琛回應。「那是一本叫什麼《軍事家》雜誌的其中一頁啊。」

「你知道上面寫了些什麼嗎?」

「T2＋12 嘛。」

「那你可知兇手是要給誰的?」

「嗯?」阿琛感到有點莫名其妙。

「是我們。」鄭錦富說。

Gi Gi 和阿琛面面相覷。

「其實,兇手早就打算讓我們找到那袋。字條是故意放在那兒的,讓我們發現他的謎語。」

「謎語?」Gi Gi 反問鄭。

「你知道『T2』代表什麼嗎?」

「不知啊。」阿琛搖搖頭。「……會是化學品嗎?」

「不。」

「那是什麼?」Gi Gi 問他。

「T2,Terminator 2。」

「《魔鬼終結者》?」阿琛想了一會。「你說是阿諾史瓦辛格主演的那一齣嗎?」

「唔。」鄭錦富點點頭。

「那他寫這幹嗎?」

「其實，當我到了現場時，我已感到那案件有點似曾相識，可是又說不出怎麼回事。但其後我再看到便條的字，我便明白。他是在模仿電影情節。」

「Copycat?」Gi Gi 問。

「對啊。」鄭調整了一下聲音。「在《魔鬼終結者》當中有一場，阿諾史瓦辛格把槍藏在一個裝花的盒子內，兇手就是要模仿這個意念。」

「那麼，+12 又是什麼?」Gi Gi 問：「會是《12 Monkeys》嗎?」

「不，不是《12 Monkeys》。」鄭告訴她。「這個12應該是指《驚慄12小時》(Siege)。」

「《驚慄12小時》?」

「是啊，我記起來了，我以前曾看過錄影帶。」阿琛突然想起來。「講起來，我記得裡面主角好像也自製了一支大砲。是呀，他做了支大砲啊。」

「對呀。」鄭錦富點點頭，「兇手行兇時就是模仿了這兩部電影，自製迫擊砲然後藏於花內。將兩部電影的意念融合起來，再開出一個謎語給我們，就是這樣。」

Gi Gi 突然好像記起了點東西：「那這傢伙會是O嗎?」

「我想這個可能性不大。」鄭說。「過去那個O就像幽靈一樣，每次都沒有留下任何證據，我們總是無線索可查。這樣的情況，一次可以說是他走運，但當每次都如此，你就可以了解他是一個精密的人，每個細節總是想得很仔細，務求令自己不會被人注意。有時我甚至懷疑一些看似意外的事故也是他所爲呢！」

「可是，這次的兇手卻有嚴重的表演慾，喜歡出風頭。對他來說，殺人可能不單是一份職業，甚至亦是他的興趣。」

「因此，只要我們能了解他的為人，他的想法，我們就有機會捉到他。」

「可是，這談何容易啊。我們怎能知道他的事？」阿琛喃喃地說。

「不難的，我們不就已經知道了他的性格嗎——起碼是其中一種性格嘛！」

「知道什麼？」Gi Gi問。

「他喜歡電影。」鄭錦富說。

確實，托爾是很喜歡電影的。

不論錄影帶或大銀幕，只要有電影的地方就能吸引他。

托爾之所以喜歡電影，是他認為沒有一種東西能比電影更具創造力，電影能創造出一個人、一件事、甚至一個世界，不論是未來、中古的歐洲還是一場從未發生過的大型戰爭。在電影裡都可以發生。

托爾就是喜歡這種創造世界的滿足感。

此時電影院內的燈開始漸漸暗起來，托爾開始興奮，他發現自己從小就是這樣，每當看到紅色絨布幕徐徐升起，而燈光漸漸轉暗時，托爾就會不期然地高興起來。起初他以為自己是因爲喜歡那部即將要看的電影才會高興，可是後來他發現，這情況在每次看戲時都會出現，因此他終於明白，令自己高興的並非某部單一的電影，而是看電影這行爲本身。

銀幕上正播放著下期即將上映的電影預告片段。托爾每次到電影院看電影，不管怎樣都會準時入場，從不錯過看預告片的機會，因爲他看過最糟的電影，但就是沒有看過一個不好看的預告片，將任何九十分鐘的電影濃縮成三分鐘，多少也搾得出精華的。所以當他聽說印度的電影院，在每次開場前會先播映長達三十分鐘的預告片時，他就很有興趣去一趟印度。

有時看到了一些預告片，托爾會有衝動跟坐在旁邊的陌生人說：「這部片看來像很精彩似的，你會去看嗎？我想我會看吧！一起來看好嗎？」

當然，他終究沒有說。

如果單憑兩部電影，就把托爾斷定爲 Copycat 的話，那未免是魯莽且對他不公平的。因爲除了模仿外，「創造」也是托爾暗殺活動的主要命題之一。

正如我們很早之前已經談論過，托爾很喜歡在行動時製造那些兇器，這樣一方面可滿足他的創作慾，而且能使他感到跟目標之間更加接近。每當他在製作計時炸彈的信管時，托爾甚至覺得自己能觸摸到目標人物的肝臟。

電影正式開場，托爾伸手到身上軍褲的側袋，確定了那針筒就放在裡面。針筒盛載著托爾自行提煉的尼古丁①，他將一大堆菸蒂浸在清水中，待三至四小時後徐徐地把瓶中的水和菸蒂倒去，這就能拿到沉澱在瓶底的尼古丁。本來要找比尼古丁更毒或更方便的毒藥並不困難，只是托爾卻滿足於自製，當他知道著名的卡欽斯基（Theodore Kaczynski）②每次寄出的郵件炸彈，小至一個開關也由自己製造的時候，一份敬意便油然而生。

當然，托爾這敬佩只限於他的創作精神，至於他那份他媽的宣言③，就陳腔濫調得教人作嘔。

「也許想得太多吧。」托爾心裡想。距離行動還有三個小時，現在不如先專注於銀幕上的故事吧。

要留心看，周刊影評還給這部電影四顆半星的啊！

在托爾專注地看電影的時候，我們有必要把時光倒流。噢，放心，不用很多，只是倒流到當托爾買了戲票，從大門入口乘電梯上電影院的時候。

每次當他乘坐升降機時，不期然地會想起孩提時代思索的一個問題。

小時候每次乘升降機，托爾都會想著一個問題：如果那一刻電梯的鋼纜突然斷了，這部電梯急速下墜。所有電梯裡的人應該是必死無疑的。但要是自己能抓緊那一秒——跌落到電梯槽底部的那一秒，然後及時一躍而起，避過了撞擊。於是對其他乘客來說，他們是從十八樓墜下電梯槽底跌死，而托爾則是在電梯內輕輕跳了一下，因此不會有任何損傷。

所以以往每當托爾乘坐電梯時，他都會站著前後脚的馬步，然後將全身的力量運於雙腿，一副隨時準備跳起來似的模樣。

當然，後來當他開始接觸物理學後，便發現這個方法是行不通的，否則任何空難都死不了人，大家只要在飛機下墜至離地面三十公分處跳出飛機便能逃生。

可是這構思也影響了托爾的人生觀，他發現，只要能抓住機會的一刹那，就可以在看似沒有生存空間的夾縫中生存下去。機會不但是體積細小，而且高速移動，因此時間必須把握得很好，早一秒或慢一秒都不行。

一秒，抓住著地前的一秒。

中環廣場並不座落於中環區，正如長沙灣廣場位於荔枝角地鐵站上面，而不是長沙灣站上面；佐敦谷亦非眞的位於佐敦一樣。

每當到了下班時候，中環廣場和會展中心之間的行人天橋都擠滿了下班的人。有的是往會展中心停車場那邊，而部分則是往灣仔區的。

在日落餘暉之下，橋上瀰漫著一股淡黃色的蒸氣。

O看看手錶，距離約會時間已經差不多，他留心看著橋上每一個人，不論男女老少絕不放過。因爲他知道托爾可能僞裝成任何模樣。O不清楚他的外貌，亦不知道對方是否清楚自己的外表，因此爲了安全，他稍微化了一點妝，也貼了一撇假鬍子。扮作一個遊客般的模樣，胸前還特意掛了一個旅行社的襟章。

可是O清楚了解到，只要看到托爾的眼睛，就馬上能認出他，相對他亦然。

因爲一個刺客能辨別出刺客的眼神。

找到了。

O看到了托爾，肯定那人是他。

他穿著一件深咖啡色的燈芯絨西裝，裡面是黑色圓領T恤，下身穿一條米色的卡其軍褲，兩邊大腿處還附有一個側袋。

出乎意料之外，托爾好像並沒有如O所料的化了裝，高聳的鼻樑和輪廓凹凸分明的面頰，令托爾看來像個混血兒，而且也很年輕，頂多只有二十出頭。眉宇間帶著一股揮之不去的邪氣。

他正從會議展覽中心那邊步上行人天橋，由於行人多向會展方向走，因此他分外凸出，成爲一道逆流。

O察覺托爾的右手正伸進西裝內，可以看得出西裝之下似乎藏了槍械，O估計大概是鋸短了手柄的雷明登鳥槍罷。

托爾一直走，他沒有任何企圖找尋O的眼神，只是一直不慌不忙地走著，而且嘴角露出了曖昧的微笑。

他似乎已知道，O正在看著他。

突然之間，有一種不祥的預感在O的腦內湧現。似乎有些麻煩正在醞釀當中。

不需三秒，這個預感實現了。

黃明理和他的姪子、兒子。

他們正從中環廣場那邊下班出來，正向會展中心走去，三人成橫排狀，黃就站在中間，姪子和兒子各在一邊。托爾正向他們迎面走去。

「Shit!」O在心裡叫了起來。

難道托爾的目標就是他？不可能的。

但到底爲什麼？會是巧合嗎？

無數可能性不斷在O的腦內湧現。他唯有不斷地推測、估計。到底發生什麼事？

托爾正逐漸走近黃明理，大家相距只有四、五呎，已經進入 Bradley J. Steiner ④所謂的「殺手理想射擊距離」。

可是托爾仍沒有任何動靜。甚至對黃瞄也不瞄一眼。

幹什麼？難道不是他嗎？O在想。

托爾甚至稍爲側身，讓黃的姪子在身旁經過。

他已經走過了黃等人。

O在想，要是他有心暗殺黃的話，他已經錯過了剛才的機會，還是他只想向自己炫耀，他已查出O的目標呢？

此時，托爾突然運勁，在人潮中原地轉身，接著緊隨前面的黃等人，並開始急步起來，越趨越近。

他動手了。O知道。

托爾突然高舉一把雙管短柄的散彈槍，用槍猛力敲打黃明理的後腦，黃抽縮脖子，踉蹌地向前趴過去。

事出突然，站在黃右邊的兒子，還來不及意識到發生何事，才將頭回過來看了一眼，托爾已迅速把槍管抽到他的鼻尖，並扣動了扳機。

他右邊面頰馬上被轟個稀巴爛，眼珠也扯了出來，頭上馬上陷下了一個碗大的血坑。然後就像軟泥一樣倒下。

黃的姪子反應快，手已經伸進了脅下掏槍。可是托爾一反手，槍管就頂著他正掏槍的手前臂，那散彈的彈丸穿過了他的前臂擊入胸膛，黃姪子的襯衫馬上湧出一大灘血水。

跟著托爾用散彈槍的槍管橫劈向他的面部，黃的姪兒馬上翻身倒下。

從托爾用槍敲打目標的頭到擊斃這兩人，整個過程不到五秒。

五秒。

O全部看到了。

黃明理正試圖從地上爬起來，他的頭髮滴著血，臃腫的身軀顯然有點不受控制。

路人對這突如其來的暴力感到驚愕，不少人根本不懂躲避。一個站在旁邊，白色T恤上沾滿了血和肉碎的女人，只懂得歇斯底里地嘶叫，她並未發現身上有一部分的血是自己的，而後面的年輕人就呆立著，面上露出莞爾的笑容，他似乎認爲面前這一幕只是電視台捉弄行人的節目而已。

托爾將槍上膛，兩顆彈殼從後膛處彈出來，接著他裝入兩顆新子彈。黃半行半爬地掙扎著，托爾走近，一脚就踢翻了他，扯著他的頭髮，拖行了數呎，逼他跪在兒子屍體的旁邊。

路人似乎已經意識到正在發生什麼事，於是爭相逃跑或靠橋邊趴下。托爾神態從容，從口袋中拿出了一隻計時碼錶。

托爾抬頭環看四週，驚慌的路人保持距離地看著他，因此橋上出現了一個以他爲中心，半徑約有四、五公尺的半圓圈。圈內除了兩個死人、一個瀕死的人和托爾之外，再沒有其他人。雖然看不到，但他可以感受到O就在附近。

「死亡不是生命的絕對終結，」托爾以一種類近競選政客般的語氣疾呼起來。「但要是認爲死亡是可避免的話，那就是思想上的一種大倒退。」

「兄弟……」黃明理故作鎮定地調整了一下聲音。「我可以出兩倍……甚至五倍的價錢……」

「You Listen To Me? You Listen To Me? X你老母！」托爾馬上顯得暴跳如雷，並用槍柄猛力地擊向他頭部的傷口，痛得黃明理差點哭了出來。

「你明白我說什麼嗎？啊？認爲人原本可以不死，是原始部落的想法呀！你明白我說什麼嗎？」托爾對著他怒吼：「明不明白？」

「……明……明白……」他不斷地點頭。

「在古代的原始部落中，流傳著這樣的一個神話。」托爾提高聲音說，彷彿是想令其他圍觀而驚慌的路人也聽到。「月神曾經派遣虱子去向世人宣佈那不死的承諾：『像我死又在死中活一樣，你也將死又在死中活。』於是虱子便趕去通知人類，但你知道後來發生了什麼事嗎？」

「……」

「你知道嗎？」他大聲問他。

「……求求你……」黃明理一面啜泣一面搖頭。

「當虱子正走著的時候。」托爾繼續說下去：「兎子經過遇上了虱子，兎子正要到人類那兒，於是牠一口答應替虱子轉達月神的口訊。

「但你知道嗎？這是經常發生的情況，兎子忘掉了口訊的內容，於是當牠到了人類面前時，只有氣急敗壞的胡扯一通，告訴世人：『你們會死，又在死中腐壞一樣云云，諸如此類。』

「結果當月神得悉後，便憤怒地刺了牠的嘴唇一下，從此之後兎子的嘴唇就裂開了。」

「這就是原始部落中的典型神話，他們總是認爲死之所以在世界上出現，只是由於手持不死贈品的使者，傳錯了神的旨意所致。因此，來，來看看我。看清楚一點，我到底像虱子還是兎子？」

「求求你……」黃跪在地上，軟弱無力地哀求着。

「說！虱子還是兎子？我到底像哪一樣？」

「……二佰萬……我可以出二佰萬……現金啊。」

「Times Up。」托爾按停了計時碼錶。

三分十二秒，他看著計時碼錶。遠遠超過了一分鐘。

「我眞的可以……」

「黃先生，」托爾一面打開褲上的側袋一面問。「你抽菸嗎？」

「求求你……不要殺我。」他害怕得整個人顫抖起來。

「黃先生，你又離了題了。告訴我，你抽不抽菸？」

「……抽……抽……一點……點。」

「噢，I'm Sorry，黃先生。你知道嗎？香港政府經常忠告市民：吸菸不但危害健康，甚至是會致命的呢。」托爾說著拔出了側袋裡的針筒，然後用力噗的一聲刺進黃明理的頸內動脈。

大約十秒左右，尼古丁就開始在他的身體內發作。黃明理痛苦得臉也扭曲起來，像瘋了般在地上打滾。托爾了解，這樣的份量，任何人都必死無疑，因此他並沒有等黃斷氣便施施然離去，而當他穿過中環廣場的大廳時，有一個保安人員想上前阻截他。當然，托爾很輕易的就把他擊斃。

「Jesus。」O喃喃地道。

他一直將鏡頭鎖緊了他，而手則不斷地按動快門。

雖然保持這麼遠的距離，但O卻感到甚至可嗅到橋上飄過來的血腥氣味。

現在是晚間新聞報導。

今日下午五時三十分，在灣仔會議展覽中心對面的行人天橋上，發生一宗兇殺及傷人案，一名歹徒向路經該處的兩個商人開槍，並用有毒針筒刺向同行另一商人，其後三人送醫後不治死亡。

兇徒得手後向灣仔鬧區方向逃走，一名屬於商業大廈的保安人員企圖攔截，結果被歹徒擊斃。其後歹徒走至謝斐道及史釗域道交界時，遇上追捕的警員，雙方爆發激烈槍戰，警匪雙方開火超過五十槍，有兩名警員及一路人中彈，其中一名警員及該名路人送往醫院後不治死亡。

而另一警員則情況危急，現正接受急救治療。

其後歹徒向皇后大道東方向逃逸。

事件中，四名路人及一名外籍督察受傷，全部送往灣仔鄧肇堅醫院，其中三名擦傷的路人敷藥後已經出院，另外為流彈所傷的路人和督察則要留院觀察，情況分別是尚好和普通。

對於近日接二連三的槍擊事件，警方不排除事件與黑幫仇殺有關。

「我不是已經跟你說過，不要去搞這麼多的麻煩事嗎？」阿Bill坐在自己的印尼餐廳內跟托爾說，他試著要自己不動氣，免得肝病再次復發。

托爾則不以為然，他將手中的香菸深深抽了一口，他本身並非有吸菸習慣，這只是他在昨天提煉尼古丁時所餘下的香菸，他順手拿來抽。托爾停了一會之後說：「也沒什麼，你大可跟教宗說，這筆生意我替他完成了，他可以照樣收取餘下一半的酬金，但則不用再付給O一毛錢，而我也是分毫不取——當然，只是第一次免費吧，以後我要以O酬金的七折收費。」

「你是他媽的瘋了嗎？你的腦袋放在哪裡？」Bill咒罵起來：「大概你的腦跟陰囊一樣大吧，我不知道你他媽的從哪兒得知那生意的資料，但凡事都有規矩，總不能這樣搶別人的生意！」

「同業競爭是自由市場上最普遍不過的事啊！難道別人不能在你這兒對面開印尼餐館嗎？我看不出有什麼不妥。」

「對呀，你看不出。」Bill說：「你當然他媽的看不出，要是看得出的話，根本就不會幹出這等的事，要是給教宗或什麼人知道這是你幹的話，不要說你，連我也有麻煩。」

「教宗也是生意人罷。」托爾冷笑了一下。

「你暫時不要露面了，待風聲沒有那麼緊時再說吧。但是我警告你，別再惹麻煩，你最好離開一下，我會替你安排船隻。」

「不用了。我在這裡還有點事要辦。」說著，托爾揉熄了手中的香菸，然後就站起離開。

「唏，Thor。」Bill叫住他。

「嗯？」

「我會感到可惜的。」Bill想了一會：「你是我手中的王牌，要是你死了的話，我會感到可惜的。」

「謝謝你這樣告訴我。」托爾笑了一笑。

「不用客氣。」

「再見。」

「再見。」

Bill了解到一點，托爾將會為他惹來無數的麻煩。

從由雜物室臨時建成的暗房中出來，O總是感到托爾有點面善，大概在那裡見過他。相片的品質很好，可以清楚看到托爾面部表情的每個變化，O突然發現，自己要是不當刺客的話，大可以去當周刊雜誌的攝影記者。

O從這一大堆的照片中拿起了一張。那是托爾在替黃明理注射尼古丁前的一刻，他看過了手中按停了碼錶後，把它拋在地上的一刹那。

「小子，我知你在幹什麼。」O喃喃地道。

於是他開啓了電腦。

午夜時分，托爾帶著點悶氣回家，他知道 Bill 的膽子已大不如前，聽說 Bill 在年輕時曾用一個破玻璃瓶一口氣刺死了五個人，還令三個趕來拘捕他的警察重傷，而他亦因爲此事而由印尼逃來香港。

可是，過往的勇敢，今日已變成了一個畏首畏尾的窩囊中年人。

托爾總認爲是那印尼餐館、妻兒和安定生活使他淪落得如此不濟。

而正當他把腰間的白朗寧卸下時，托爾發現了電腦處顯示出他有 E-Mail 的訊號。

這不禁叫他產生了一股莫大的好奇，知道他電子郵件地址的人不多，到底會是哪個人呢？

可是當他將滑鼠移往「Check-mail」一欄後，他知道他估計錯了。

E-Mail 上出現了一幅照片，那正是自己今天在行人天橋上，用槍抵住跪在地上的黃明理，然後滔滔不絕地發表偉論的一刻。自己的容貌清晰可認，從角度來看，應該是從鷹君中心那邊拍攝的。

除了照片外，還有一封信。

親愛的 Thor：

我應該尊稱你爲至高無上的阿薩托爾（Asathor）還是奧庫托爾（Okuthor）呢？不過也是一樣，反正你就是人和神中最強的。

可惜，E-Mail Address 只有八個字，你的領地特魯德凡（Thrudvant）自然要刪了最後的一個T。

請原諒我的冒犯，記得你說過要在快死的時候找人寫一本書，不知那書現在動筆了沒有？容我自作主張替你拍攝了封面照片，這倒可以刺激一下你的寫作靈感，因爲我倒很心急欲拜讀你的大作呀！

第一次約會，我實在有點被你粗野的舉止嚇倒，因此請原諒我的不辭而別，我想以後還是保持書信來往好一點，一來我正要致力發展我的事業，免得生意老是被同行搶了，而且我相信你即將會很忙。

祝寫作順利。

即將成爲你讀者的O

PS.我已替你送了一個封面給那些書評人，我想他們會比我更迫切希望你那本書問世。

看著電腦螢光幕，托爾不禁笑了起來。

這傢伙實在太有意思了，他心想。

不過他可能要把他先擱在一旁，現在最重要的是先著手搬家和毀了一切留下來的線索，托爾不想一天內跟警察槍戰兩次。

註解

①尼古丁：（Nicotine）菸草中所含之生物鹼。無色，油性，液狀，放於空氣中會變成棕色。爲劇毒之物。

②卡欽斯基（1942-）：美國著名的「大學及航機投彈者」（Un[University] A [Airline] bomber）。自一九七八年起便向全美郵寄炸彈。造成了三人死亡，二十三人受傷。

③卡欽斯基曾於一九九五年把一份長達三萬五千字的宣言寄往《紐約時報》及《華盛頓郵報》，並表示只要兩份報章願意刊登他的宣言，便會停止郵寄炸彈。結果兩報於該年九月十八日刊登了宣言全文，內容大致譴責工業社會欠缺人性，現今科技壓抑個人自由。

④史坦納（Bradley Steiner）：美國軍人暨作家，著有《死亡交易手冊》（The Deeath Dealer's Manual）等多本講述行刺與徒手搏擊的書籍。

5 神人中的最強者・封面照・H.M.I.W.

阿斯加爾德（Asgard）是維京人傳說中衆神所住的堡壘，大概有點像希臘神話中的奧林匹斯山。堡壘中央有一棵常綠的梣，名叫伊格德拉西爾（Yggdrasil），樹根一直深入至地獄底層，而樹枝則伸延至天堂。

而阿斯加爾德則由三個神來統治：弗雷（Freyr）、奧丁（Odin）和托爾（Thor），他們都是斯堪的那維亞人宇宙起源論中的三大天神。

弗雷心地善良，是財富之神。奧丁是知識之神，而托爾就是他的兒子。

托爾又名叫阿薩托爾，或叫奧庫托爾，他的名字是「雷電」的意思，是神和人之中最強壯的。

而據十三世紀冰島詩人斯諾里・斯圖魯松（Shorri Strurluson）的散文《埃達・吉爾維的消遣》（Gylfaginning）中的描述：「托爾的領土叫特魯德凡，家中有五百四十道門。而他則乘一部兩隻公山羊拉的戰車在天空中行走。他是戰爭之神，使用的武器就是米諾尼爾斧（Mjollnir），每次當托爾在天空出現時，白霜中的土爾斯（Thurses）和山中的巨人，一眼就能認出這柄斧頭。但這並不稀奇，因爲托爾就是用這柄斧頭砍殺了許多巨人的父輩和親朋。」

當O從書籍中看到了那幅名爲《托爾和巨人們的戰鬥》①的油畫時，他並不感到特別意外。

畫中的托爾正站在戰車上，左手揪著一個赤裸巨人的長髮，巨人的面貌猙獰，正企圖以握著戰車的欄杆來借力反抗，可是卻不成，他的另一隻手正被托爾踏著，而托爾的右手則有力地握著那高舉的斧頭，米諾尼爾斧。天上的雷電打在那柄象徵力量的斧頭上，他正要砍下那巨人的頭。

這跟托爾在行人天橋上，高舉散彈槍來敲擊黃明理頭部的情形差不多一模一樣。

托爾在模仿托爾——斯堪的那維亞的三大神之一。

打從第一次來電後，O便開始尋找任何有關的線索。他明白托爾是個熟讀歷史的人，當然他的名字也是源於歷史，由於O認定了他是個自我膨脹的人，因此他決定從一些神話方面著手。

結果眞的如他所料。

當他從維京人傳說中找到有關托爾的歷史時，托爾那 E-mail Address 亦不難推測。

但O知道，他並非單單以托爾油畫作爲模仿對象。

托爾的行動是前人行爲的結合。

他知道有關天橋和計時碼錶的事。

於是O沉思了一會，又把已封好的信封打開。他想，也許應該再給這人一點提示。

看著托爾的照片，O良好的記憶中殘存著他的影像，似乎像在什麼地方看過似的。

上午，當鄭錦富回到辦公室時，他發現桌上除了幾封公函單據外，還有一個A4大小的公文信封，上面貼有一張印有地址的貼紙，地址是由電腦打印的，上面註明了收件人是他。

除此之外，上面便沒有其他的了，沒有回郵地址，也沒有註明內容是什麼。

鄭錦富感覺到，這將是一份非比尋常的東西。

此時，鏘仔正匆匆進來。

「長官，有好東西。」

「怎麼樣？」

「當日灣仔目擊者的口供已經整理好了，疑犯拼圖已經做好，果然不出所料啊。很像是瘦版的花店快遞員！」

「瘦版花店快遞員？」

「那個信德中心的疑犯呀！」

「嗯哼，」鄭點點頭。「那個我當然記得。」

「有可能是同一個人啊。」鏘仔說。「要讓 Gi Gi 把拼圖發到各地警署嗎？」

「不用了。」

「甚麼？」

「發這照片出去吧。」鄭把手中的照片拋到桌上。

那正是托爾在行人天橋上行兇時的照片。

「啊？怎麼啦？是路人拍到的嗎？還是遊客？」

「不清楚，匿名線報。」鄭想了一會：「但我想似乎不會是路人，因爲看相紙知道是在私人暗房裡沖洗的。」

「那會是誰呢？」

「不知道。」他喃喃地道。除了照片外，信封內還附有一段字。

一九一五年十一月十日

上海外白渡橋

「鏘仔，你知道一九一五年十一月十日上海發生什麼嗎？有什麼歷史大事之類的？」

「我怎麼可能知道呢？長官。我是因爲不想讀書才投考警察的。」

「噢，多教人佩服的答案。」鄭錦富說著便開始沉思，一九一五年的上海，大致上是怎麼樣的？

那時民國只建立了四年，「二次革命」慘敗不久，袁世凱正忙於做他的皇帝夢，日本軍國主義的爪牙正開始深入中國各地，那時的上海正是滿佈租界，藏龍臥虎、風起雲湧，是漢奸、間諜、流氓、革命黨的集中地。孫中山、陳其美、杜月笙、黃金榮一大堆歷史人物的名字湧現眼前。

到底一九一五年十一月十日上海外白渡橋發生了何事呢？

「還有，」鏘仔補充。「鑑定科證實了碼錶和針筒上的指紋，跟上次自製大砲上的殘留指紋是同一個人。」

「那核對出真正身分沒有？」

「還沒有。怎麼？鄭長官，有何不妥？」

「噢，沒事。」他想說又停了一會。「你先把這照片發出去給各局吧。還有，我現在有點事要出去一會，鏘仔，你替我到書局辦點事情。」

「甚麼事情？」

「你替我買些民國歷史之類的書籍吧。」

「……那會有書名或是那間出版社的名字嗎？」

「我也不清楚，總之你替我找那些有關民國初年，上海呀、杜月笙之類的書。你給我統統找回來。」鄭說：「還有，看看有沒有關於民國暗殺活動之類的書。」

「這會和案件有關嗎？」鏘仔問。

「也許吧。」

晚上，O坐在幽暗的室內，獨個兒在削磨鉛筆。

他的姿勢就像歐洲工業革命期間，無數年邁無依的孤獨工匠一樣。他用細砂紙仔細地磨滑這圓柱型的鉛筆，鉛筆的筆頭削得很尖。那是O經常隨身攜帶的鉛筆，它是一種很好的暗殺工具，一來易於攜帶，而且鉛筆並不顯眼，即使拿在手中亦不會引起懷疑，一般人都低估了鉛筆的威力，只要近距離的攻擊，攻擊點準確和力度強勁的話，鉛筆隨時可以刺穿橫隔膜、下顎等致命部位的。

可是鉛筆本身必須打磨得光滑，甚至加點潤滑劑，否則在刺入目標身體時可能會勾著了他的衣服，這樣當再要用力把鉛筆推入對方身體時，就可能弄斷鉛筆，發出骨裂聲或把空氣推入肺部令對方可以掙扎叫喊。

O並不想增添多餘的麻煩或聽見心寒的骨裂聲，因此他經常會在晚上一面用望遠鏡監視那屋、一面細膩地削磨木鉛筆。

雖然已經差不多午夜時分，但阿雯仍留在麗港城的單位中，她把雙腿擱在客廳的茶几之上，一面吃洋芋片，一面看《費城故事》的影碟。

大概她已經發現O甚少回家，因此她開始對於清潔工作顯得馬馬虎虎，地板已經兩個星期沒有吸塵和打掃了。

床單也有一個月沒有替換了。

O發現阿雯似乎對他起了疑心，除了經常翻弄他的抽屜外，在上星期六，她還在臨走的時候，故意夾一條頭髮於大門的門縫，看看O是否有回來。

爲此，O用了近三個小時的觀察，認定了附近的環境安全，才回到那住所，將阿雯夾在門縫的頭髮弄掉。

而當O正想離開這兒時，突然靈機一動，他想到了一個方法，令阿雯更能確定他的存在。

他走進廚房，在花了三秒時間肯定自己沒有在這邊的冰箱裝上炸彈後，他打開冰箱拿出了一罐可樂。

O吩咐了阿雯每隔一段時間就替他到超級市場買些汽水零食之類放於冰箱，讓自己回來時飲用——當然，O平日根本極少回來，於是他告訴阿雯，她平日打掃時也可開點零食來吃。

於是乎，阿雯買給O的零食，全部都由她自己吃光，漸漸地，阿雯開始以自己的喜好來決定買什麼零食。

O將可樂倒進玻璃杯，然後輕輕呷了一口，他已經很久沒有嚐過可樂的味道了，上一次喝可樂的時候，《現代日報》還在出版，人們還會稱呼于品海爲「傳媒大亨」的。

他感到可樂的快感一直傳到腦部，刺激到他記憶中樞的最深層。

O拿著杯走到客廳的中央，然後一鬆手，那杯可樂就像集束炸彈脫離轟炸機機架般向下滑，跌落地板上。

可樂和玻璃杯碎片混在一起，四濺到客廳的地板，地氈也沾滿了可樂。

接著O隨便拿了張紙，給阿雯寫了個便條。

> 徐小姐：
>
> 對不起，我打翻了可樂，麻煩你替我清潔。順便也吸吸塵、打打蠟吧，地板似乎有點髒！
>
> 陳浩然

這也是個證明自己有回家的好方法。O心想。

在離開了麗港城那個自己虛構世界的家後，O沒有馬上回到對面，在微黃的街燈光線下，他感到胃酸增加，這個午夜，O餓了。

雖然現在這時間吃東西有違他的飲食時間表，可是飢餓感就像一排7.62口徑的鋼芯子彈一樣瘋了似的掃射過來，躲不了，即使穿了防彈衣仍無法抵擋。

於是他跑到了觀塘市區，在銀都戲院對面的一個粥麵檔處吃宵夜。

一路上，他都後悔自己剛才沒有多喝一口可樂。

O記得，自己上一次在那屋子抹地時，地板上也有玻璃碎片。

還有 Maggie 的血和腦漿。

那大概是一年多前的事。

Maggie 是自從O在一九九一年買入這屋子後不久，便開始當兼職打掃，那時她是剛入教會學校的一年級學生，O在求職告示板上找到了她，那時 Maggie 正要找一些時間自由，而且離開居住地區不太遠的兼職，讓她可在升學之餘，一面賺錢補貼學費。

O記得，第一次就是相約在觀塘的麥當勞見面，那時的她留有一頭烏黑長髮，杏兒眼上架著一副帶點土氣的膠框眼鏡，穿著一條碎花長裙和一件白色套頭衫。初見她那感覺就像在一個悠閒下午遇到一個剛下班的見習護士一樣，Maggie 確實帶著護士工作時從病人那處沾回來的病態，面色蒼白並有倦容。

「對不起，但要是我遇上考試的話，時間能遷就一下嗎？」Maggie 關心地問。

「沒問題，我很多時候都不在家，妳喜歡何時來都無所謂，自己控制吧，只要一星期來三次就可以了。」

「那你的地板是什麼樣的？」

「嗯？」

「是木地板、膠地板還是地毯呢？」Maggie 問。

「是木地板。」O告訴她。

「那就要打蠟囉。」

「如果太麻煩的話，那就算了。」

「噢，不。」Maggie 連忙否認。「不會太麻煩，我在表姨家中也常幫她地板打蠟的。你以前家中是多久打一次蠟呢？」

「我倒不清楚啊。」

「嗯？不清楚？」

「我好像沒有想過要打蠟啊。」

「沒有打蠟？」Maggie 感到驚訝地叫起來：「你在那兒住了多久？」

「大約半年吧。」

「哦，這還可以，要是太久沒有打蠟的話，地板會磨損的。」

「……那麼，你什麼時候可以上班呢？」

「隨時都可以啊。」

自從 Maggie 開始替O打掃家居後，爲O每晚監視住所的活動增添了情趣。正如杜倫・馬特②所說，每個人都需要監視和被監視，O之所以監視自己的住所，完全是希望看看有沒有仇家或警方對他（或他的住所）進行監視，但當發現自己沒有被任何人盯上或監視時，O雖然會爲自己生活哲學的成功而暗自高興，可是他又會因爲沒有被監視而感到失落。

於是，當 Maggie 到了他的家後，O開始找到了一個焦點，就是觀察 Maggie 的一切。她並不像阿雯般熱衷於偷窺別人的東西，Maggie 除了打掃外便很少碰O的私人物品，只是偶然會看看那些放在電視櫃中的相框，那都是O在外遊時故意拍來偽裝的觀光照，讓人感覺O是一個經常出差和旅遊的忙碌商人。

有時，她在收拾完畢後，會拿出課本在O的家中溫習。Maggie 告訴O，她一家五口就住在秀茂坪舊村的一個三百五十呎的單位，平日家中根本沒有地方溫習，因此她請求O讓她平日收拾完畢後留下，這對於永不在家的O來說根本沒有影響，甚至可以增加O觀察她的時間。

因此他便答應了她的請求。

看著她盯著相片中的自己，O有種很好奇的感覺。

到底自己在這個少女的心目中，是扮演一個什麼角色呢？是一個忙碌但吸引她的沉默中年商人？還是什麼都不是，只是一個常不露面的僱主呢？

大概是後者吧！O經常告訴自己。

可是，Maggie 每隔一個星期，就會從衣櫃中拿出那些O根本沒有穿過的恤衫來燙，這並非O吩咐她的，每當看到 Maggie 很仔細地燙衣服的樣子，有時甚至連枕頭套也會燙時，O開始懷疑自己的想法。

雖然，可能 Maggie 對O的印象，大都建基於一些虛構的記憶上——相框裡的照片、牆上的拼圖，櫃裡的玩具槍和一些僞裝外地寄來的賀卡。

那個只存在於虛構世界中的O。一個由眞實的O虛構出來的僞裝O。

要是她有一天了解到眞實的O並非如她所想像那樣，不是喜愛玩具槍、米奇老鼠的大男孩，而是一個指間沾滿了血腥和硫磺味的冷血殺人犯，而且每晚都在監視她時，不知她會是怎樣的反應。

O在想，大概《刺客》一書的作者費羅（Rex Feral）③所言是有道理的，一個刺客根本不適合跟女性發生感情，否則會使自己陷入永無休止的麻煩當中。要是眞的要跟一個異性發生感情，就必須要把她變成你的拍檔。

可是要成爲拍檔，就得符合費羅所說的七大條件：

一、外表娟好並且有誘人的媚態。
二、高度的智慧和分析能力。
三、沒有孩子和近親的束縛。
四、徹底地將自己奉獻於你。
五、沒有任何是非或道德觀。
六、對除了你以外的一切外人充滿敵意。
七、精神和肉體都有潛力承受當刺客的壓力。

根據她所說，只要符合以上的七個條件的女孩，才適合成爲職業刺客的女朋友，即所謂的H.M.I.W.（Hit Man's Ideal Woman）。而如果擁有一個這樣的女孩子，對一個殺手來說是有利的。

首先,她誘人的外表能助你完成許多你根本不可能做到的事,例如引誘目標或其保鏢等。

第二，她能助你策劃成功的計劃，並不斷提供具建設性的意見，刺激你的思考。

第三，能爲你提供穩定而安全的性服務，藉此解決你的需要和免除了召妓可能引來的危險。

另外，她還能爲你提供精神和感情上的支持慰藉。

可惜，正如費羅所言，這樣的H.M.I.W.在世上數目絕不太多。

即使假設Maggie符合條件一、二、四，而條件五、六也能透過訓練而成，可是條件三卻不符了，而且她的醫院氣色，教O不能相信她能符合條件七。這使O對她卻步。

對Maggie來說，她雖然明知O本人很少回來，但她總感到他就常在自己的身邊，她經常瞞騙家人自己晚上會到自修室或到同學家，其實是一直留在O的家中。

那兒寧靜、安逸，對Maggie來說就像一個避難所，有時她會祈望O突然歸來，於是她就可以煮一碗麵或罐頭之類的什麼食品給他,感覺就像一對新婚夫婦一樣,那兒彷彿自己的家。

以往Maggie也曾替人家打掃房子，可是卻從不曾有這感覺，也許是對於那些充滿舊雜誌、麻將籌碼的住所無法投入吧。

那些屋子跟 Maggie 在秀茂坪的家太過相似了。

對，她渴望投入另一種生活。

於是，每晚 Maggie 來到時，她內心都會等待著這個不會回家的男人。

他根本不會回家，因爲他眞正的家就在對街。

一個一街之隔，但 Maggie 永遠無法打掃的家。

於是乎，每個晚上，Maggie 在一邊打掃一邊等待O回來，而O就一邊用細砂紙磨那枝像護身符般的鉛筆，一面透過望遠鏡去觀察 Maggie 的一顰一笑，甚至指尖的一點顫動。

幸福感到晚上夢幻般燃燒，直至殆盡成灰。

註解

①《托爾和巨人們的戰鬥》：溫恩（M. E. Wing）所繪之油畫，現收藏於瑞典斯德哥爾摩博物館。

②杜倫馬特：瑞士劇作家，以怪異故事馳名，代表作有《女製片奇遇記》。

③費羅（Rex Feral）：一個身分神秘之女作者，一九八三年於美國出版《殺手》一書，講述殺人技巧。此書出版後一直引起很大的爭議，甚至有人因依照書中辦法殺人而被捕。

6 「出診」的政府軍・同學會・當幸福燃燒殆盡

這樣的日子一直過了兩年，直到那年的冬季，O接到了一個任務，他盯上了一個名叫Mr. Black的哥倫比亞男人，他是一位撒巴迪斯達國家解放軍（EZLN）①的高級成員，自從馬爾哥斯②帶領著跟他身分同樣神秘、為數不足一千人的蒙面可憐小部隊，於一九九三年發動了舉世震撼的「元旦暴亂」③。那時正是憲政革命黨的總統齊狄勞自然對這群蒼蠅看不順眼，這些傢伙使他在國際傳媒上顯得像個小丑，跟北京歌手何勇對傳媒所指的「小丑」相同。世人都以為他無能。

於是乎齊狄勞一改競選時的溫和狀態，一方面對西方傳媒顯出一副強人面孔，將EZLN和「元旦暴亂」描述成「跟癌病一樣」。

「如你不去醫治它，它就會吞噬你。」

接著在一九九五年二月，政府下令兩千五百名全副武裝的「醫護人員」在四十架「醫療」直升機和大量「救傷」坦克的開路下，往恰帕斯省區「出診」。

當然，少不了國際記者同行。

此次對EZLN十分不利，政府軍裝備精良而且有備而戰，加上早前警方破獲了他們位於墨西哥城和韋拉克魯斯兩處的秘密軍火庫，令他們損失了不少槍枝。

本來，他們還可依靠由南韓偷運至當地的軍火，可是馬爾哥斯跟齊狄勞犯上相同的毛病——太喜歡玩政治宣傳戰。

EZLN邀請西方記者到他們位於熱水（Agua Caliente）的大本營採訪，讓西方世界人士知道EZLN如何爲農民請命，如何得土著民心和支持。

結果，在某本雜誌的一篇報導中刊登了一幅馬爾哥斯的側面照，他一身綠色軍服、軍帽，頭上帶著一個黑面罩，露出一雙目光深邃的眼睛，活像一個在路易・科雅特④鏡頭下的「蝙蝠黨」。

他口中含著煙斗，縷縷輕煙使他好不威風，肩上則扛著兩條像聖誕樹裝飾的子彈帶，帶上不但有手槍子彈、7.62mm的機槍子彈，還有12號散彈，彷彿是一個在販賣子彈的雜貨攤小販。

但重點都不是這些，而是在照片的右下角，子彈帶在馬爾哥斯的背部顯露了一塊小小的南韓國旗。

大概連他本人也沒有留意，可是他的宿敵齊狄勞又怎會錯過有關他的報導呢。

他看到了這面南韓旗幟。

於是這面小小南韓旗就發揮著如同一八五六年「亞羅號事件」⑤事件中那面英國國旗般的重大作用。

墨國政府開始加強截查來往或途經南韓的貨船，結果搜出了大批軍火，也逮捕了幾個和

EZLN有秘密聯繫的海關官員。

這無疑是對馬爾哥斯及其部隊的一次重大打擊，因此他只得放棄大部分控制的拉坎登叢林區，後退至與瓜地馬拉接壤的邊區，藉此逃避前來「清剿」——套用齊狄勞的話，是「出診」——的政府軍。大概齊狄勞會認爲他們的撤退，是一種「諱疾忌醫」的表現。

但不管怎樣，EZLN正急需武器彈藥，而過去的偷運線又斷了，因此馬爾只得冒險指派親信，攜同由桑地洛⑥及墨西哥城激進分子處所得資助的美金，來到東南亞採購軍火。

他的目的地自然是東方之珠：香港。

其實一直以來，香港便是地下軍火買賣的主要聯絡和交易點。越戰時期美軍遺留在越南的大量軍火，大陸解放軍中不法分子所盜竊出來的軍方槍枝、武器，全都經由香港轉銷世界各地，小自賣往日本的AK-47衝鋒槍，大至偷運往羅馬尼亞的炸彈或賣給斯里蘭卡泰米爾之虎游擊隊的戰機零件。

即使近年國際間破獲的多宗重大軍火案，香港也牽涉其中，只是有關這類交易買賣，不會在商業分類電話簿中查到，也不會在貿易發展局處作宣傳推廣，這才使一般市民沒有留意吧。

Mr. Black抵港後，跟一個與「小日本人」⑦幫派有密切聯繫的國際軍火集團展開交易，該集團的某些人士想奪取那筆美金，可是這樣明刀明槍的搶未免太礙眼了，他們必須透過作爲第三者的刺客集團，結果O接了這宗買賣。

軍火集團還要求弄得像一宗劫殺事件。

可是那傢伙一直深居簡出，使得O一直找不到理想下手地點。於是O便用僞造的台灣護照到Mr. Black所住的酒店，在他下一層處租了個走廊末端的房間。

他換上了酒店服務生的制服，然後從手提皮箱中取出典雅的純銀托盤和餐具，這些都是O依照這酒店所用餐具的款式而採購回來的。

O從暖壺中倒出了一杯熱奶茶，連同一起準備好的凱撒沙拉一起放於托盤上。

他乘電梯到八樓，然後捧著食物向Mr. Black的房間方向前進。

可是當O由電梯廳轉往走廊時，赫然發現有一個房間清潔員正推著工作車迎面而來。這時間應該不會有人在這層清潔的。O暗忖。大概是因爲剛才早上偷懶吧。O於是若無其事地從他身旁走過。

「送餐嗎？」那清潔員笑著對他說：「又有小費囉。」

「嗯。」O一面行一面以微笑回應。

本來，一切都顯得順利，突然那清潔員叫住了O：「等……等一下。」

O於是停下來。

「你……是……我記不起你的名字。」那清潔員喃喃地說：「你記不記得我？我是你的同學，基協夜中學的。」

其實O從剛才他開口說第一句話後，便記起了他是自己那年中五重讀時的夜校同學白志堅。

「對不起，你認錯了……」

「啊，我記起了，你是阿豪。」他叫起來。「那時我經常借……」

他的話還未說完，O轉過身，手中已拿著一把他裝了自製滅聲器的史密斯韋森牌點二二手槍，三發子彈馬上就打向白志堅。

白一面跪下一面瞪著這個老同學，他不明白為何一個自己過往經常借功課給他抄的老同學，手中會拿槍。他嘗試思考，可是精神雖然很清晰，但腦就總是沒法想到東西，他可以感覺能到達腦內的血液已越來越少。

O馬上放下托盤，把白志堅拖向柱後面，接著把工作車推過來擋住他，免得被經過的客人看見，白志堅的身體開始抽搐，發出微弱的呻吟聲。於是O只得在他頭顱處再補上一槍，免得他再受痛苦，O並從工作車上拿了一條酒店大毛巾來蓋著他，吸著他從傷口留出來的血。

自製滅聲器的效果不俗，並沒有任何住客從房間探頭出來查看。雖然這自製滅聲器在每次都要沾上引擎油，但鋼絲絨的滅聲效果的確比預期中效果還要好。一般點二二口徑手槍的發射音約為一百四十五分貝。現在裝上了這滅音器後，大概只有十五分貝左右。

O於是繼續走向 Mr. Black 的房間，他走到大門前，然後用槍嘴抵著房門上的窺視鏡，另一隻手在敲門後便輕按門把。

「Who?」良久，房內傳來一個沙啞的聲音。

「Room Service.」

手槍的保險掣早就鬆開了，正蓄勢待發。

片刻，房中傳來了說話：「I didn't call....」

O聽得出聲音是從房門後面傳來的，目標已經走近了，於是O二話不說，馬上從窺視鏡處向內打了兩槍。

噗噗兩聲的點二二子彈穿過房門射進房間，裡面並沒有傳來O所預期的倒地聲，他馬上發現不妥，於是迅即躍向一旁，可是一排無聲子彈已穿過門口打出來，O避過了射擊，並翻身一脚把門踢開。

Mr. Black正走近門口查看，手中握著一支Ingram M10衝鋒槍⑧。對於突然撞進來的O似乎有點措手不及，似乎剛才打不中他是有點出乎意料。他馬上扣扳機，但就在他遲疑了四分之一秒，O把身體毫不猶疑地撞向房間走廊的貼牆衣櫃，整個人撞穿了百葉門而陷入衣櫃之中，他再次躲過了Mr. Black手上的機槍。

「Shit!」Mr. Black大喊起來，他想轉身再次射向O，可是由於M10槍身太輕，加上槍機的後退量短，使它在這種狹窄的房間走廊內難以操作。

當他將槍轉過來指向O時，O已從衣櫃處一躍而起撲向他，並一手握著M10那粗而長的滅聲器往上推，一串機槍子彈擊向天花板。

Mr. Black重心不穩，於是兩人一起滾落床邊的地上，O向他的下顎連開數槍，令他的血噴濺到床鋪之上。

在房門後面的地上，正放著一個連有電線的小型喇叭。

從酒店回到位於工業大廈之單位時，O感到非常疲累，而且身上有一股濃烈的汗臭味，於是他便走進浴室。

O無力地站於浴室的蓮蓬頭下，讓冷水沖向他，這令他感覺清醒了不少。冷水沿著他的身軀流向排水口，讓今天的一切都隨之而去。可是O仍有一陣難以抗拒的嘔吐感，這是他過往行動時所沒有的，他的腦海中不斷傳來白志堅的影像，畢竟，用點二二口徑手槍擊破老同學頭顱並非一種愉快的經歷。O想起了每晚自己總是在班主任未到教室前，匆忙地抄著白的功課的情形。

一切宛如在昨日發生似的。

「當你幹得這一行，就要預計終有一天會殺自己熟識的人。」記得在O入行的不久，他的哥哥就曾語重深長地告訴他。

哥哥告訴O，他就曾幹掉一個自己昔日的老板，他是經營汽車公司的，O的哥哥並不知道他爲何被殺，但他也不關心，更加不會因爲殺了他而感到內疚。

因爲他清楚了解，即使自己不幹，也有其他殺手會接這差事。

所以哥哥告訴O：「當一個刺客的原則，是只要價錢合適，什麼人都可以殺。」

「那即是說如果有人要你殺我，你也會殺我嗎？」O問他。

「要看價錢。」哥哥說著停了一會。「反之你亦應如此啊，明白嗎？」

「嗯哼。」

可是話雖如此，但O過往一直不曾殺過自己熟悉的人。今天的白志堅是第一個。

O覺得當刺客的困難並不在刺殺，對此，O感到不大困難，只要時刻把身體和精神維持在一個最佳狀態就可以了，反而，他覺得最困難的是處理和別人之間的關係。

因爲不管你是一個多棒的刺客，你也會擁有親戚、老同學和朋友。

記得在當刺客的初期，O也試過幾次瞞著哥哥，參加初中同學的聚會。

可是，O發現自從嘗試過殺人的滋味後，他開始感到自己跟老同學的距離越來越遠。

一種前所未有的感覺；這群曾經跟自己同一步伐，同一頻率成長的人，顯得出奇地幼稚。

在聚會中，有一個在雜誌社工作的男同學，埋怨公司中有一個能力只及當校對的傢伙，卻因爲靠著一面打小報告，一面大談虛僞膚淺的道德而當上了副總編輯的位置。

有一個在一間充滿著類似宗教儀式的傳銷公司工作的女同學，總是把所有話題都扯到她近日剛認識，在唱片公司工作的外籍男友身上。大談跟他到大球場看美式足球，和晚飯時跟那個三流的歌星同桌等等。

當然她並不知道，自己在那外籍男友眼中，只是芸芸的蘇絲黃⑨之一。

當然，她並不知道。

在O的眼中，他們變得無聊、淺薄，智商大約跟室溫一樣高。對O來說，他感到自己經歷過他們一生都不能經歷到的唏噓，同時又確切捕捉到自己的命運，不再受控於任何事物。所以對他們的話題根本無法投入，也懶得搭上兩句。他——刺客，是一個上帝的代理人，能主宰自己，甚至別人的命運。

因此，他開始無法忍受別人對虛偽副總編輯的牢騷，或者是對三流歌星的吹捧。

對O來說，他們都只是不值一提的臭蟲。他甚至只需一條廉價鞋帶就能令他們消失。

漸漸地，O不用他哥哥的制止，他本身的自大心理就已經使他跟老朋友的圈子脫離。他覺得自己登上刺客就像乘上了航行者號太空船一樣，逐漸遠離屈居於地球上的無知人類，向著浩瀚而未知的未來邁進、探索。

白志堅的事，令他想起了過往的校園生活，和許多被遺忘的東西。

的確，O忘記了許多。

甚至連身上沾有的血跡，O也分不清到底是來自白志堅還是Mr. Black的。他嘗試努力去想。

到底頭髮上的血，是在走廊還是房間中沾染到的呢？

可是O越是想，腦袋就不單毫無頭緒，還傳來了一陣刺痛。

漸漸，他發現別人沾在髮上的血不可能有那麼多，一直流進排水口的血似乎不是別人的，而是從自己頭頂流出來的。

O從來沒有這般粗心大意。他沒有發現自己的後腦部分受了傷。

從房內射出來的子彈，其中一顆擊中了正閃避開的O，奇蹟地這並非一顆致命，而是幸運子彈，它雖然射中O的後腦，但沒有射穿枕骨，只是在枕骨面掠過，擦傷了枕肌而受傷流血罷了。但這並沒有大礙。

O在責怪自己，並不是因爲受傷，當刺客，受傷是難免的，他只懊惱自己竟不能發現自己受傷。

到底有否在現場留下血跡呢？如果有血滴了在現場的話，就有可能根據DNA化驗而找到他，這是非常危險的，因爲O知道只要在現場留下了面積有四分一吋直徑的血液（大約是三滴左右），透過科學鑑證確定出血液所屬誰人，而誤差甚至不會多於九千五百萬分之一。

幸好，英國法院自從一九八七年七月「拜仁強姦案」⑩後，加州警方對英國擁有鑑別DNA特徵版權施馬公司進行水準測試⑪，此後司法界已開始對DNA測驗的準確性有所保留，法庭已開始不接納單以DNA測試作爲唯一的證據。

所以即使自己的血液留在現場，但沒有人證、動機和兇器，O仍然是安全的。所以就算遇到了警方的拘捕或盤問，自己也無需擔心。

可是他不能想像自己竟會如此大意。

那是第一次在「工作」時碰上相熟的老同學。剎那間，中學時在美術教室抽菸、喝啤酒、玩沙蟹，下午逃學去電影院看兩點半場，期間隨便跟女孩子約會，偶爾跟她們睡睡覺的胡混日子，馬上被白志堅勾起來。

站在浴缸看著自己流失的血水，O想起自己已經很久沒有跟女孩子睡覺了。

於是那個晚上，他放下了手中的鉛筆。

Maggie 在用看護病人般的溫柔來燙著一件藍色襯衫。動作和空氣的流動都變得緩慢。

就像電影中的慢鏡一樣。

O用那掌心微濕的手，緩慢地握住了自己因爲往昔好時光而發熱的陰莖，悠悠地套弄起來。

Maggie 細心地把襯衫背部的褶位燙得像摺紙一樣平滑。O看著她，她的瞳孔深處像一個深深的黑洞，有著把一切事物都吸進去的能力。透過那冰冷無意識的折軸目鏡，O可以感受到她喘息時的熱氣，正透過光學折射潤澤了他乾涸多時的嘴唇。

他將呼吸的步伐調整成跟 Maggie 一致。逐漸地，O從悠悠的套弄變成了越來越快，他用力地握住陰莖，它被O磨擦得赤紅，O感到自己開始醞釀一個比 Maggie 瞳孔更大的黑洞，因此他不單沒有被她吸去，反而將她整個人從那虛構的家扯進自己的身體，她的肉體就像一團流動不定的水銀，從瞳孔進入了O的體內。在腦內繞了數圈後，便沿著氣管直下，穿過了肺、心臟，到達丹田，融合了O的血和顫抖，銀白變爲奶白，一下子如決堤洪水傾湧出來。

O射精了。

微速的呼吸將O帶回這簡陋的工廠單位，Maggie 剛把那件筆直的藍色襯衣掛回衣櫃當中，並拿出了一條淺棕色的西褲來燙。

手背感到了一陣濃稠的微溫。

EZLN 並非烏合之衆，他們很快便找上了軍火集團，可是該集團裡有份參予這次盜竊的人，便把責任全推到O身上，說是O得悉 Mr. Black 攜帶巨款來港買槍，於是有計劃地把他刺殺，並把錢奪去。

於是，O就被軍火集團指爲殺人行劫的反革命份子——這個革命當然是指遙遠墨西哥叢林內的革命。

EZLN 派來的軍官要找出殺死 Mr. Black 的O，爲上司報仇並取回那筆款額。但香港對他們來說是一個陌生的地方，因此他們要求軍火集團給予協助，那邊當然馬上答應。事實上軍火集團不單要找O，更必須要比 EZLN 的人更早找到O。否則O把受僱殺 Mr. Black 的事供了出來，EZLN 再追究下去，難保不會查出是軍火集團吃了那筆錢。

因此，軍火集團必須盡快把O幹掉，只要O一死，那筆錢就會像斷了線的風箏般，消失於世界當中。所以他們還特意叮囑 EZLN 的軍官，在找尋時要保持低調，免得走漏風聲，讓O可有機逃脫。但其實眞正的目的是避免此事爲敎宗的集團發現，要是這事鬧大了，讓其他人知道自己不但跟別人做生意時殺人行劫，還把罪名推到殺手身上的話，他們以後是很難在黑道上立足的。

於是，在殺 Mr. Black 三星期後的一個晚上，O剛洗過澡，光著上身走到窗旁，透過那折射式單筒望遠鏡觀察 Maggie。她仍在屋內溫習，近日她每晚都留到深夜，有時一星期還上來四、五晚，大概是考試將至，她需要一個寧靜的環境溫習。

O喜歡看著 Maggie 坐在餐桌前溫習的樣子，她每當溫習時，就總是不苟言笑，一副如臨大敵的嚴肅樣子，比起刺客殺人前更凝重。一想到這，O便會覺得很有趣。

突然間，Maggie 嚴肅的面上泛起了一個莞爾的笑容。在遲疑了片刻後，便用著跳躍式的步伐走向大門。

大概 Maggie 以爲是她一直所期待的「陳先生」回來，所以似乎顯得有點迫不及待，O馬上察覺有危險。

他想喊住 Maggie 叫她不要開門，可是突然想起她根本不可能聽到。

確實，相隔了敬業街水溝、偉發道高架公路和那寧靜的小公園，Maggie 根本不可能聽到O的呼喚。要不是O透過窗前的折射望遠鏡，O連 Maggie 的樣子也不可能看到。

但即使O現在身處附近，她也不可能聽到O的呼喚。Maggie 此刻的耳朵已被她的憧憬蒙蔽，眼裡看不到面前的事物，甚至問也沒有問，就假定了門外是她期待已久的「陳生生」。

可是只是稍一開門，四個大漢已經踢門湧入。O憑那些大漢手持開山刀、刀柄一律包了紗布的情形來看，便了解這班人並非單單想尋仇，而是要殺他滅口。用紗布包住刀柄的目的，是免得在刀柄上留下指紋，而如果要教訓O或斬傷他，要他的手、腳的話，大多會拿斬竹刀或牛肉刀。但使用開山刀，目的就只有一個。

奪命。

Maggie 被撞得整個人也跌倒地上，還撞破了客廳電視櫃的一扇玻璃門，弄得手臂流血，當她還未搞清發生什麼事，正想從地上爬起來時，一個大漢抓了她凌亂的長髮，用刀抵著她的脖子，其餘四人則分頭在房間搜索。接著從大門進來一個男人，他的頸背有一團火焰的紋身，上身只穿一件黑色鹿皮背心。短髮的他在前面故意留了一小撮染成紅色的長髮。

O認出了他，他就是紅毛仔。

紅毛仔是在美國出生的華青幫份子，自小在紐約唐人街打滾，母親是俄羅斯人。而由於紅毛仔懂得俄語，因此便跟在美國境內的俄羅斯黑幫關係良好，很年輕時便打出了名堂，成爲華青幫的小頭目。

可是他在三年前於一次醉酒駕駛撞傷了行人，其後他爲此事棄保潛逃，匿藏於紐約近郊。法庭把此案交由捕快公司的職業捕快⑫處理，可是紅毛仔卻誤以爲前來拘捕他的三名捕快是警方緝毒組的人員，於是作出反抗並擊斃其中兩名捕快。

此事在紐約鬧大了，於是紅毛仔只得偷渡來港，並加入了軍火集團當打手。

其實，他們已確定了O不在家中，連續兩天對此屋的監視，紅毛仔發現除了這女孩外，並沒有人在此處出入，因此他懷疑 Maggie 就是O的女友。當手下確定了O眞的不在家後，紅毛仔走到 Maggie 的面前，兩名大漢分別在左右捉著她。Maggie 顯得萬分驚慌，並企圖嘗試掙脫那兩個大漢。

「O在哪兒？」紅毛仔用一種就像遊客在街頭問路的平和語氣問道。

「你……你們是什麼人呀？」Maggie 吃驚地問。

她話還未說完，紅毛仔已一掌摑向她，Maggie 馬上被打得嘴唇破損，兩行眼淚禁不住流出來。

「O在哪兒？」他再問。

「嗚……」Maggie 一面飲泣一面說：「我不知道他是誰呀！」

「陳浩然。他在哪裡？」

槍。

「……我不知道啊。」

紅毛仔聽後吟了數秒，接著便從腰間拔出了一把點二二的手槍，向 Maggie 的腰間開了一槍。

Maggie 被這突如其來的情景嚇得目瞪口呆，血潛潛流出。

O焚心似火，看著無辜的 Maggie 受折磨，他一點辦法也沒有。在兩種愛情當中他作出了抉擇，自己和別人，他選擇了前者，他愛自己多於別人。

O多麼渴望自己手中有一把狙擊槍 L96A1……不，即使是 M14 步槍也好，此刻只要有一把長槍在手中，O就有信心在五秒內將紅毛仔等人全部擊斃。

可是，他一直以來強調的自我保護，行動以外的時間絕不攜槍在身，現在卻發揮了宿命性的悲劇作用。O的雙手在黑暗中亂抓，可是找不到槍托或扳機，只有無數的夜和罪疚。

他，不但沒有狙擊槍，甚至連一支手槍也沒有。

O所謂的保護系統只能保護自我，卻保護不了 Maggie。

「放心，沒有打中要害，現在到醫院還來得及。」紅毛仔的表現並非得意或凶惡，而是一臉同情和痛苦，彷彿審問 Maggie 和開槍是一件很嚴肅的事，他是迫不得已才爲之的。

「告訴我，陳浩然在哪兒？」他再問她。

「……我眞的不知道啊……」哭成淚人的 Maggie 嘶叫著：「我只是替他打掃，我只是替他打掃而已！」

「中槍後就不應哭或笑，」紅毛仔一面撥弄她的頭髮一面說：「情緒一激動，血就運行加速。當然嘛，不笑就很容易，可是不哭就有點困難吧！最後一次，陳浩然在哪裡？」

「……我只是來替他打掃而已，我……什麼都不……知道啊！」

O發了瘋似的翻弄著桌面的雜物，可是他只找到一把軍刀，於是匆匆披起外套，把刀插在腰間然後跑往麗港城。

可是，工廠大廈中的大部分電梯已經在十時後鎖上了，而客用電梯又經常被通宵加班的工廠佔用，因此O只得從樓梯跑下樓。他以自己有生以來最快的速度跑著，因爲他知道，自己不能再慢一秒，Maggie 流著的血是不會等他的。

當他跑出了工廠大廈，直奔向天橋另一邊的時間，一輛客貨小巴剛剛高速駛過，司機看到衝出來的O，剎車不及就撞了過去。

O整個人也被撞得凌空躍起，拋了五、六步距離才滾落地，司機被嚇呆了，不能停車啊！他心想。他一家還倚賴他的收入；同樣O也知道他不能倒下，那邊的 Maggie 在等待著他。

於是他從地上爬了起來。繼續跑向天橋的另一邊，可是O的大腿漸漸感到一陣燙熱，脚顯得無力起來，動作越來越慢，那幾百公尺的距離彷彿永遠跑不完似的。

O不斷地跑，那座屬於而又不屬於他的虛構的家，遙遠得可望而不可及。

他只是不斷地跑。

註解

①撒巴迪斯達國家解放軍：簡稱 EZLN，是一支位於墨西哥西南部與瓜地馬拉接壤地區，奇亞柏高原雨林中的反政府軍。爲數不足一千人，每個軍人和將領都會幪面。爲了爭取墨西哥的土著自主和民主改革而戰鬥。

②馬爾哥斯（Marcos）：EZLN 總指揮官，精通美、義、法、德、西及高原中十種不同土著的語言，年約三十五至四十歲，身分神秘。傳聞爲一前任大學教授。

③元旦暴亂：經過長達十年於熱帶雨林中的秘密訓練，本來藉藉無名的 EZLN 突於一九九三年元旦率領墨西哥南部恰帕斯州的印第安農民武裝起義，要求改善生活，而叛軍迅即控制了大部分的拉坎登叢林區，以少數兵力與裝備精良的政府軍轉戰了一千多公里，幾乎攻抵高原區最重要的城市聖基斯杜巴（San Christobal Delas Casas）。此舉引起國際間的震驚，馬爾哥斯亦成爲了新聞人物。

④路易．科雅特（Louis Feuillade，1873-1925）：法國著名犯罪片導演。作品包括《魅影》（Fantomas）和連環劇集《蝙蝠黨》（Les Vampires）。《蝙蝠黨》在當時極爲轟動，因片中鼓吹無政府主義、顛覆性社會觀及邏輯理性，巴黎當局將該劇集腰斬，禁制達兩個月之久。

⑤亞羅號事件：一八五六年十月，廣州水師在珠江口搜查一艘爲中國人所有，但於香港註冊並掛著英國國旗的船隻「亞羅號」。逮捕了涉嫌走私的十二名船員，並將英國旗幟拔下丟掉。兩廣總督葉名琛拒絕向英道歉，結果引發「英法聯軍」之役。而那時清朝水師們顯然不明白國旗的意義，因爲清朝那時仍未有國旗。

⑥桑地落：一支尼加拉瓜反政府游擊隊，一直協助培訓並以金錢資助 EZLN。

⑦「小日本人」(Yaponchik)，俄羅斯黑幫頭目伊凡科夫(Vyaches lav Ivankow)的綽號。伊凡科夫自一九九一年於西伯利亞出獄後遷到紐約，兩年內成爲羅斯黑幫在美國的首領。一九九五年六月因勒索在紐約被捕。

⑧Ingram M10：一九六六年由美國人高登·茵格倫(Gordon B Ingram)以MR64機槍爲機體改良而成小型衝鋒槍。M10具手槍尺寸，但可作全自動連續射擊。由於成本低又生產容易，因此廣爲哥倫比亞、瓜地馬拉、宏都拉斯等國家所使用。

⑨蘇絲黃：電影《蘇絲黃的世界》(The World of Suzie Wong)中女主角的名字，在片中她已有子女，但因邂逅了來港的外國畫家而無法自拔。

⑩拜仁強姦案：一九八七年七月，位於蘇格蘭格拉斯哥以西的拉斯鎮，探員拜仁的好友素珊被人強姦，素珊雖力指色魔並非拜仁，但警方憑現場血液作DNA測試，發現與拜仁吻合，結果拜仁被判入獄六年，而當年負責作DNA測試的是施馬公司。

⑪水準測試：一九八七年，加州警方爲了測試全新DNA技術，向多間公司提供350名罪犯DNA樣本進行測試，其中ICI附屬公司施馬(Cellmark)公司，在第一次提交加州罪案化驗所(CACLD)的報告中，五十個樣本竟有七個錯誤，此事令人對施馬的測試水準起了懷疑。其後更揭發施馬在處理拜仁案中違反了美國一九八九年引入的指引守則，在自動投射圖上欠缺清楚的對照道。而施馬公司對此只承認處理錯誤，但對拜仁一案則不願置評。

⑫職業捕快(Bounty Hunter)：一八六九年美國最高法院正式確認捕快行業，並授權當犯人棄保潛逃，可根據憲法規定採取「需要的方法」拘捕在逃疑犯，將他送交警方，捕快便可得到約四成的保釋金作爲獎金。現全美約有全職捕快一千兩百人。

7 生與死・傷感的血・既陌生又不陌生的死者葬禮

早上，人們都忙於上班，大概別人都忘記了幾天前在天橋上發生的事。鄭錦富心想，也許已經沒有人會因爲希望避免憶起慘劇而不走這橋。準時上班，比別人的生死更有價值和意義。他不明白人的生命是由何時開始變得沒有價值。

直到不久之後，當鄭錦富在深夜知道了鄧小平去世，於是馬上放了手上的股票，可是卻發現當日股市沒有大跌，而市場人士對傳媒說：

市場對鄧小平的死已經消化了。

那刻，鄭才明白到，當大家能對領導人的死訊如此迅速「消化」，那在橋上發生的事又算得上甚麼呢？

對於證券交易所的經紀人來說，他們不會關心一個死人是否偉大，也不會關心他的歷史評價。他們關心的只有一樣，那就是他的市場價值，一旦沒有了市場價值，就會被他們「消化」。

於是，鄭錦富終於明白，原來關心歷史評價的，只是消化不良的一群。

他回想起來，慶幸消化不良的，並不只他一人。但在這刻，他仍然專注於眼前的事。

從照片的角度來看，拍攝者就是站在鷹君中心的這個角落位置，環顧四周，這是一個最佳位置，能對於橋上所發生的一切一目了然。位置似乎是選擇過，彷彿拍攝者早就預知了橋上會發生屠殺慘劇，因此早就待在這個價格昂貴的包廂位置，準備了完善的攝影器材，拍攝不朽的一幕。

從手法看來，相片中的人明顯跟砲轟直昇機的是同一人，這個人的表演慾比任何人都要強烈，選擇在這個人來人往的行人天橋作舞台，鄭了解到這個表演者是希望得到觀衆們的認同和欣賞，欠缺了觀衆，演出就會失去意義。

那麼。他到底想演給誰看呢？

會是自己嗎？鄭心裡反思。

也許。但只是其中之一，到底一個導演最注重哪些人對他作品的評語？

觀衆，不。有些人根本對此並不關心。

是影評人嗎？也不是。

是其他導演，是自己敬佩的導演。

對，鄭錦富心裡叫了起來。一個殺手最關心的，是自己心儀的偶像怎樣看待自己，會欣賞自己嗎？彼此會建立一份惺惺相惜的友誼，就像 H.R. Giger ①和達利②之間的情誼一樣嗎？

那麼，這人會是誰？會是自己追查已久的O嗎？

可是O並沒有這傢伙的那份狂熱，他跟他可算是完全相反，不斷地隱藏自己，避免曝光。對O來說，這傢伙簡直就像苦苦痴纏的亢奮小影迷。

從這位置看行人天橋，鄭錦富恍然大悟，如果相片中的人眞的視O爲偶像的話，那自己手上的相片就極有可能是O所拍攝的。他明白，O已經被影迷的痴纏迫出了幽閉的巢穴，於是O拍下了這照片並寄給自己，目的就是希望借助警方的力量去擺脫他的糾纏。

那麼他爲何以我作爲收件人呢？他爲何會知道我的名字？難道他早就知道我的存在嗎？他會知道我一直在追查他嗎？

鄭在想，要是眞的如此，那麼自己在O的心中，會有何評價呢？會威脅到他嗎？還是只是一個可憐兮兮的警察！

連他自己也不禁覺得可笑，自己此刻竟介懷一個通緝犯對自己的評價。但不管怎樣荒謬，此刻的他確實是執著於這點。

這時，行動電話響起來。

「喂，鄭長官，你在哪兒啊？」那邊傳來了Gi Gi的聲音。

「甚麼事？」

「鏘仔昨天替你買了許多民國歷史的書回來。」她說。「我和他找了整個晚上，終於找到了一九一五年十一月十日在上海發生了什麼事啦！」

「嗯？是什麼？」

「我們從書中查到一九一五年，上海被袁世凱的心腹鄭汝成控制，而當時是中華革命黨總務部長陳其美……」

「不，」鄭打斷了她：「我有讀過那段歷史，但陳其美不是在辛亥革命後就當了都督嗎？」

「是，確實他當上了都督，但其後臨時政府結束了，袁世凱就迫他交卸滬督，又命鄭汝成的北洋精銳臧致平南下接管上海製造局，而安排了陳做一個毫無軍權和實權的工商總長，之後……」

「夠了，夠了。那到底如何？」

「總而言之，陳其美爲了討袁而決定刺殺鄭汝成。他趁鄭出席上海日本領事館慶祝日本大正天皇舉行加冕儀式時，派出十多名殺手在鄭可能經過的路線上設有五個關卡③，而最後的一關就是外白渡橋，在那兒把守的是兩個叫王明山和王曉峰的人。他們用炸彈投向鄭汝成的車輛，使它癱瘓下來。王曉峰上前用駁殼槍將鄭打死。他們事後還在橋上向路人演講了一分鐘，才被租界的巡捕拘捕。」

「哦，」鄭錦富應了一句。「怪不得他會用碼錶計時，說些甚麼兎子虱子的廢話了。」

「對啊，似乎這人喜歡的並不只電影啊。」Gi Gi說著停了一會。「不過……」

「什麼事？」

「我看著那張照片，好像是見過還是什麼的……」

「妳也有這感覺嗎?」

「什麼?鄭 Sir 你也察覺到嗎?」

「但應該不在通緝欄當中的,否則其他弟兄就馬上能認出來。」他說。

「那到底是在哪兒見過呀?」

「不知道,也許是因爲過去看過跟他相似的演員演出的緣故,才感到似曾相識吧。」

「可是我一向不大愛看電視呀!」Gi Gi 說。

「那我也不太清楚。嗯,」鄭突然領悟。「那兩人給巡捕捉了後怎樣?」

「租界將他們引渡給中國官方處死了。」

「好的,Gi Gi 麻煩你。」

「不相干……」Gi Gi 還想說下去,可是鄭已經掛斷了線。

在幽暗的印尼餐館內,Bill 吩咐手下坐到另一邊。並叫自己沉住氣,免得壞了大事。

「怎麼你這兒也有三色冰喝?」說著托爾把杯中的三色冰一口喝光。「這不是泰國的嗎?」

「生意難做。」

「到底有什麼事?」

Bill 感到肝臟隱隱作痛,他不斷叫自己冷靜,其實在上次砲轟直升機後,目標二人之一沒有當場死亡而被送醫急救時,Bill 就已經氣得肝病復發。要不是托爾在第二天再潛入醫院將他們射殺的話，教宗和買家一方又要大發雷霆了。

他抽了一口 Cohiba 雪茄，看著眼前的托爾，Bill 開始質疑自己用托爾是不是一個錯誤。無可否認，托爾將是刺客世界中一顆耀眼的新星。記得托爾入行半年接到了一筆生意，目標是聯義興四二六的老泥，買家還下了一個附加要求，就是要老泥「死得離奇」。

於是，托爾用了差不多一個星期的時間佈置，在老泥常去餐廳的男廁中的每一個便盆水槽處藏了電線，並把電線的兩極接到金屬過濾格的螺絲上。

這樣，當托爾透過氣窗看到老泥在便盆前小便時，他就馬上開啓遙控電線源，二二〇伏特的電流馬上接到了便盆的過濾格，而人體尿液是酸性的，正是良好的導電體。便盆的電流沿著尿柱直達老泥的雞巴，而觸電後小便失禁又令他無法制止電擊。

於是，老泥就在他兩個手下的前面被電死，那刻他們根本弄不清發生什麼事，只是被嚇得動彈不得。眼巴巴看著自己的老大被電死。當他倒下時，下體已經被燒焦。整個男廁充滿了烤肉和尿味。

男廁離奇命案　男子下體觸電死亡

便盆暗藏殺人陷阱

這是第二天報紙的標題。

自此，托爾便開始在這行中有了名聲，但由於他的狂妄令教宗和大拆們擔心，怕他行事會留下線索，因此一直沒有把高價的訂單交給他。

Bill也明白，托爾是個炙手可熱的山芋，沒有人能拿得住它，要是堅持要拿的話，恐怕吃不下之餘還會燙傷自己。

「警方已經有了你的照片，現在全港的警察都在通緝你。」Bill說著停了一會。「香港你是待不下去的。」

Bill看著托爾，似乎正等待他的回應。

可是，托爾並沒有說什麼，只是繼續吸啜杯中僅剩的三色冰和從冰上溶出來的水。

「上次的事，教宗有什麼話說？」良久，托爾終於開口。

「怎麼？你還敢提這事？」

「你沒有告訴他？」

「你還鬧不夠嗎？」Bill一手拍到餐桌上，他的手下馬上準備過來，但Bill望了望，用眼神示意他們不用過來。「我不會替你向教宗說那他媽的屁話的。」

「那把他的聯絡方法告訴我，我自己跟他說。」

「幹你老母，事到如今難道你還不明白嗎？」他壓著嗓子對托爾說。「教宗那邊已經知道這事是你這他媽的瘋子幹了，即使警方沒有通緝你，教宗也不接納你的提議！你知道嗎？集團最重視的是什麼？是規矩啊！」

「我不相信規矩比錢還重要？我們殺人也是爲了錢，沒有人是爲規矩吧？」

「你他媽的相不相信我並不關心，」Bill從口袋中拿出一片磁片放在桌上。「幹了這一宗生意後，我會安排你偷渡到印尼。我有個表哥會在那邊接應你的。」

「好吧，」托爾收起了磁片。「但你得告訴敎宗，這筆生意的酬金要是O所收的八成。」

「再看看吧。」Bill說著又抽了一口雪茄。

托爾離開了以後，Bill仍思考了許久，到底當年決定用托爾是不是一個錯誤。

托爾對於是否偷渡到印尼並不關心，他在想，當日如果O看到自己在天橋上的表演而自慚形穢，自發地退出的話，他也許會考慮放他一馬，讓他以退休前輩的身份終其餘生。可是，他覺得O不但沒有佛羅基阿門④看到達文西⑤披衣天使時的氣量⑥，反而惱羞成怒，造出拍下照片交警方這樣下三濫的把戲。

托爾知道，O急於要擺脫自己，是因爲他害怕自己。

不過，雖然現在警方還沒有找到自己，但托爾明白以後絕不可輕視O。

回到家，他開啓了從Bill處拿回來的磁片，目標是新界一家地產公司的女老板，買家要在她下星期往鰂魚涌出席喪禮時殺她。

通常這類指定場合暗殺的合約都是較爲罕見的，托爾本來對此的興趣都不大，可是突然他又靈光一閃……

他把磁片燒毀，然後開啓了電腦通訊電話，輸入了O的號碼。片刻，電話接通了。

托爾鍵入：你知道我和你跟別的殺手有何分別嗎？

托爾聚精會神地看著螢光幕，等待O的回應，過了一會O終於回應。沒有，都是人渣。

托爾沒有回應O，只是繼續回答自己剛才所提出之問題：是因爲我們都愛書本，閱讀令我們變得跟那些渾渾噩噩的殺手不同。你同意嗎？

O：沒想到你還有閒情跟我胡扯。搬屋的事安頓好了嗎？

「媽的！」托爾對著螢幕笑說，一邊繼續鍵入：謝謝，有心了。

O：我倒有點失望！

托爾：請放心，我不會比你早死的！看不到你的血流成河我是怎樣也無法安息的。你看到我的表現了，你覺得怎麼樣？

O：不錯——

在那邊鍵入了這評語，但片刻又繼續輸入：不錯的鬧劇。

「嗯哼……」托爾點點頭：你妒忌？

O：不，我會妒忌專業人士，但不會妒忌嗜血的狂徒。你喜歡流血。

「Yes! You Right! 你眞的了解我！」托爾笑說，O的話又勾起了他的興趣，於是手指飛快地鍵入：嗜血是一件正常不過的事，自古以來我們對血就有一種複雜的情結，它既被看成生命，同時又是不潔的象徵。你讀《聖經》嗎？

O：我沒有宗教信仰。

不一定是教徒才讀《聖經》。托爾繼續鍵入：在〈聖經・利未記〉中，摩西律法已經說明了一切活物的血，就象徵了它的生命。但希伯來人卻把它視爲不潔，血有著災難性的意涵，凡有血的地方必有罪惡，因此古時希伯來女人在月經期間是嚴禁在公衆地方出現的。可是《聖經》新約告訴我們，耶穌在最後晚餐中用自己的血爲大家贖罪。〈約翰福音〉甚至強調血的功效，結果被薩克森人⑦扭曲，用作辦人肉筵和喝人血的理由。

O：那麼你祖先跟冰島人有關還是什麼薩克森人有關？

托爾：我們不會把祖先稱呼爲冰島人或瑞典人，而是Viking⑧。冰島和北歐都是古代維京人的活躍地區。

O：母親還是父親？

托爾：父親。我的母親是天津人。你呢？

O：不及你的傳奇，我父母兩代都住在石峽尾。

托爾：你平日都這麼幽默嗎？

O：我平日很少說話。

托爾：很難想像你平日會是這麼呆板，手法這麼守舊。

O：是保險。

托爾：這些形式既然用了這麼多年，難道你沒有想過要變一下？

O：變什麼？暗殺不是街頭藝術，而是商品、服務，絕對是一盤生意。付錢的是老板，而不是街頭行人。

托爾：你聽到別人對我行動的評論嗎？我倒有些Fans呀！而且我仍找得到老板啊！

O：我不認爲這個狀態可維持很久，什麼江湖傳聞、評語，全都是他媽的幻覺，是「膨風」。老板不會再用你的，因爲你太不穩定。告訴我，大概找你的都是些小額交易，你做過眞正的大交易沒有？有沒有老板合作後再回來用你？沒有，爲什麼？因爲每個用你的人，都怕了你，幾乎給你累死。

你說對不對？

「對你老母。」托爾嗤之以鼻：我並沒有讓老板有什麼麻煩。

O：直升機上的目標沒有當場死亡，要到醫院再補兩槍，難道這不叫作麻煩嗎？那事件全港最少有五萬人估到誰是幕後老板。你能將這些稱爲好評如潮嗎？

托爾：你不懂暗殺，它從來就不單只是生意，它有著本身的存在意義，它有時是歷史巨輪的潤滑劑，但有時也會是它的煞車。

O：那難道第一槍不射目標，然後說些什麼他媽的屁話，就當自己是什麼革命烈士嗎？

別跟我談你那些什麼藝術理論。你何不去槍殺了那個九龍皇帝⑨，然後當自己是Valarie Solanas⑩？I am Professional! 我才不會什麼馬戲！

「哼，」托爾冷笑了一聲：不見得。那些裝模作樣扮成大圈幫，我覺得根本上是同樣滑稽吧！

O：你怎麼知道？

「你相信緣份嗎？」托爾說著鍵入：我熟悉你的事。

O：我後悔當天沒有一槍打死你。

托爾：你不會的。

「你不會的。」托爾鍵入後又說了一遍。

O：Are You Sure?

托爾：Yes!

O：爲何？

托爾：因爲那是我們第一次約會啊！

O：有規定第一次見面不能殺對方的嗎？

托爾：這是無禮的表現啊！

O：你倒算客氣，盜了我的號碼，胡亂浪費我的電話費，還殺了我的目標，搶了我的生意，然後他媽的悠悠閒閒說句這是無禮表現？Fuck You!

托爾：你不敢的。

O：什麼？

托爾：你不敢接觸，因爲你害怕死亡。如果根據 Solanas 的 SCUM ⑪，你甚至不是一個男人！Fuck Me?你沒屌，用啥？

托爾等了一會，仍不見O的回答。

接著，O關了機，一切終止了。

當O到達時，一切已經太遲了。

Maggie 早已躺於血泊中，她的頭被從後開了一槍，顯然已經死了。

強忍著哽咽的O無力地跪下，刀剛進門口時就已經甩了手，刀尖前端直插進了地板。

他憎恨自己，自己早就應該預計到有這樣的一天。虛構住所之所以建立，就是要逃避追捕和襲擊。因此 Maggie 每月收三千元表面替他打掃，實際上是爲O承擔了風險。

一切危險和突如其來的風險，而代價只是每月的三千元。

O痛恨自己的自我保護，要是O在那邊擁有一支槍的話，結果也不致如此，可是他的自私使他變得無能爲力。

他一直致力擺脫刺客的舞台，最後他成功了，可是事情又變得跟他無關，他變成了多餘的觀衆，只能透過望遠鏡觀察事情的演變，就像台下的觀衆不能告訴羅密歐，茱麗葉還沒有死一樣。

他感到無力。

Maggie 的死並不是意外，是O的自私所造成的。

但是，此刻O仍要強忍眼淚，把事情了結。

他明白，自己是不能哭的，眼淚是哀愁的結晶，凡是哀愁就有它的故事。因此O不能讓眼淚掉下，眼淚和血液、指模一樣，可以成爲警方的追查線索。

O不能哭，甚至不能直接碰她。他從抽屜裡拿出一對塑膠手套，然後隔著手套輕撥 Maggie 的髮根，她的五官仍是這樣精緻，整個人仍是散發著那股醫院的氣味，大概她是上課時沾到了從教會醫院飄過去的消毒藥水吧。

也許，今天只是多帶了點腥澀。

O把所有窗簾拉上，然後躺在沙發。此刻，他什麼都不能做，因爲他不肯定是否有鄰居因爲聽到槍聲而報了警。

所以他只得等上一小時，看看有否警察到來，要是眞的有人因爲槍聲而報了警，那麼在將軍澳道的觀塘警署必定會派人來，O暫時仍不能處理這屍體。

O先替自己包紮了大腿的傷口，那是撞車時被刀割傷的。看著 Maggie，她正寧靜地躺在地板上，沒有發出一點聲響，彷彿是因溫習得很累而睡著了。

O感到很可悲，他終於明白了 Maggie 說木地板爲何必須要打蠟。

從她身上流出的血，並沒有滲進地板的木紋之中，而落在彷如玻璃般滑溜的地蠟之上，一條毛巾就可以把它抹光。

這等待的一小時是極難過的，尤其所期待的並非什麼值得高興的事，已經能夠預期，來臨的不會是驚喜、歡樂或喜悅。只有絕望和血。

但面對這樣惡劣的情景，O的專業知識仍在腦內不斷閃亮著，提醒他不能受情緒所困擾，他必須收起眼淚，並完成這類似工廠罐頭加工般的機械化程序。

彷彿躺在面前的只是一條沙丁魚，而並非Maggie。

O此刻眞的但願有一劑古柯鹼，讓他在無意識、無感覺的情況下浮過這絕望的一刻鐘。

結果，指針一秒一秒流逝，一小時終於好不容易過去了，警察並沒有出現，證明了無人報警。

於是，O便開始著手處理Maggie的屍體。

他先開啓了冷氣機，並用床單蓋住了她的身體，因爲O並不希望馬上有蒼蠅在Maggie的眼、口或鼻孔處產卵。

然後他到了雜貨店買了防水布、尼龍繩、消毒藥水和一些清潔用品。

O輕按Maggie的面頰，仍是微暖的，只是沒有一點生命的氣息。他知道現在她的體溫，正逐漸以平均每小時一度（華氏）的速度下降，在二十四小時之後就會降至和室溫一樣。

他必須要快，因爲時候一久，身體就會變得僵硬，會更難以搬運。

雖然射殺 Maggie 的是紅毛仔而不是O，可是O仍要毀滅 Maggie 的屍體，他不能讓警方在他家中發現屍體，因爲正常商人的兼職傭人是不會被槍殺的。

而一旦警方追起來，紅毛仔被捕，O並不關心，他只怕這會暴露了自己隱藏的身分，連累了自己。

但他在考慮片刻後就放棄了逃亡的選擇，他早已對於哥哥那種三個月搬一次家的遊牧式生活感到厭倦。他習慣了這兒，他習慣了眺望靜謐的鯉魚門海峽；聆聽飆車族以超過一百六十公里的時速，從偉發道俯衝至觀塘繞道時刺耳的引擎聲；聽說當將來大嶼山的新機場落成以後，啓德機場就要關門，而在跑道內側的避風塘也會被填密，變成了一大片的土地。O從沒有親眼看過所謂滄海桑田的演變過程，就像他過去錯過了許多事情一樣。因此他這次希望住下來，看看眼前的這片海，如何變成陸地。

因此，他決定留下來作一個見證。

既然留下，就必須讓 Maggie 永不被人發現。

O把 Maggie 穿著的黑色 Boy London 長袖外套和開叉窄身牛仔裙脫了下來，Maggie 內裡還穿了一條肉色無袖襯裙，大概 Maggie 已經穿了許久，裙身已起了不少毛球。

O為了方便，於是從襯裙領口處撕開一個缺口，將兩袖褪下至手臂，然後由雙腳那邊把裙拉出來。

Maggie 仍是像酣睡嬰兒般的躺著。她所戴的是一個平凡得很的白色胸罩，是那種既不能拆除肩帶，也沒有蕾絲花邊，純樸得教人想起八〇年代初夏沙灘的那種胸罩。而下身則穿一條有點殘舊的三角內褲。

O開始替她脫去內衣。

從她的內衣，可知道 Maggie 大概沒有很親密的男友。O在想，他應該是第一，也是唯一一個看過她裸體的異性。

Maggie 的粉肩是何等的雪白豐腴，乳房微隆，形狀宛如《情比山高》中村民堆起的小丘。腰部就像是乳房線條的延續，很細緻。肚臍上面的腹部，被子彈弄成了一個血洞，彷彿就像她的第三個乳頭，每當O一稍為移動她，傷口就會如地下噴泉般溢出鮮血。

他的乳頭和乳暈帶著一種很淡很淡的粉紅色，甚至跟皮膚的顏色沒有分別。要不是它在乳房輕微地凸起，大概會很容易被忽略。

她的陰毛並非全黑，而是略帶金黃色，並可愛地微鬈著。大概 Maggie 平日甚少有機會穿泳衣，因此她並沒有刻意地把大腿和鼠蹊間的毛髮剃掉。

Maggie 在足踝以下的皮膚都較上身粗糙許多，也許是經常走路的關係，但現在已不用擔心，她已再不需上路了。

O在想，要是這身體是一個星期前，自己透過望遠鏡看到的話，他大概會一邊看一邊自瀆。可是今天，他變得跟她那麼近，甚至可觸摸她的肌膚，是從未曾擁有過的接近、親密，可是，感覺卻無比遙遠。O自從當刺客以來，一直未接近過除了妓女以外的女性肉體。

可是，他這刻一點也不感興奮，下體沒有少許勃起或打算勃起的徵狀。只是細小軟弱地哀度著。

O感激上帝，紅毛仔向 Maggie 射出的第二槍，彈頭已擊破了後腦的頭骨，並從前額位置穿了出來。否則要是彈頭留在 Maggie 的頭顱內，O就要批去她的頭皮，敲穿她的頭蓋骨，然後在腦漿裡挑出彈頭。

這是O最討厭的事，幸好那顆子彈已經穿過了頭顱，嵌入了餐桌旁的地板中。

可是，腹部的子彈仍藏在她的體內。於是O從衣櫃處拿出了一隻鐵絲衣架，把包了塑膠的鐵絲拆開，然後將鐵絲從 Maggie 傷口處伸進她的體內，因爲他必須先了解彈頭所在的位置。

由於彈頭射進入體後，會因爲受阻而變形，繼而改變了彈道，因此彈洞內的傷口並不是一條直線，O嘗試用鐵絲探出彈頭位置。

最後，鐵絲終於在傷口上方碰到了硬塊，O肯定了它在Maggie的胃部附近。於是他用指頭沾了點地上的血，在她的身體上腹作個記號，然後拔出了已插入地板上的刀，以上腹記號位置作爲中心，把刀從距離記號三吋的上胸處插進去，由上至下剮開了一條約六吋長的血道，剖開Maggie的胸口，而記號正好在血道的中央。

O再在垂直割開的血道頭尾部分，分別橫切了兩條平行的刀痕，讓Maggie的身體彷彿被紋上了一個「I」字。

O從垂直的切口處擘開了Maggie的身體，然後伸手進Maggie的體內，雖然是隔著手套，O仍感覺Maggie體內潺湲的濕潤和黏稠。這感覺令他想起當自己在對著望遠鏡自慰時，手指間就有這種潺湲感。

O的手指在努力搜索著，O看著Maggie，想要是她還沒有遭遇這慘劇，她會是個H.M.I.W.嗎？

不知道，O永遠也不知道。

突然間，Maggie抽噎了一下，喉嚨發出了微弱的咿咿聲。

她還未死。

她還未死，O心裡大叫，他情緒失控地望著Maggie，她還有生命嗎？我是否應馬上替她作心外壓？

可是，突然間O像中風似的整個人定了下來，他不了解自己到底出了什麼問題。

爲甚麼他會有這麼荒謬的想法。

Maggie 已經停止呼吸近兩個小時，怎麼自己還會認爲她有可能未死呢？剛才的抽噎只是由於屍體的下腹肌肉收緊，令肺部的空氣迫出了喉嚨，繼而發出了聲響吧。這些知識O早就熟習了，自己怎麼可能有這樣錯誤的判斷，即使是一刻的錯誤也是不應該的，這不是一個專業刺客應有的行爲。

O告訴自己，Maggie 已是一具屍體，即使甚麼海姆里奇法、席維斯特法或者豪傑尼爾森法也不會把她搶救過來。

她已死！已是一具屍體！

跟別的屍體沒分別。

於是O深深地吸了一口氣，繼續找尋她體內的彈頭。

最後，O終於在幽門附近的胃壁處找到了彈頭。

接著，他用刀切去了 Maggie 所有指頭上的表皮，令人無法從指模中驗出屍體，跟著O仔細地檢查過她的口腔，Maggie 的牙齒從沒有任何修補，但爲免留下追查的線索，於是O只得拿起圓頭鎚，將 Maggie 口腔的顎骨和牙齒擊碎。

他一下一下地舉起鎚子擊下去，O想起了曾看過一篇關於影星梁朝偉的訪問，他談及自己在童年時曾因一事（O已經忘了是甚麼事）而被母親責罰，母親把一個鎚子拿到他的面前，然後要他親手用鎚打爛自己心愛的模型……

O一下一下地擊下去，Maggie的面型也因顎骨碎裂而扭曲了，樣子也被打得完全模糊了。

O體會到梁朝偉的絞痛。

他將打脫了的牙齒從她的口中撿出來，然後和手指的皮收集起來，準備丟進大海，而她的衣服則會燒毀。接著他把Maggie的屍體移進了浴缸，用消毒藥水替她徹底清洗一次，除去一切可能留下的指模、血跡或纖維。

然後O用兩個四十四加侖裝的防水膠袋套起了Maggie的屍體，再放進手拉的行李箱之中。

O先到停車場把車駛到麗港街住所的樓下，那輛車是O在兩年前買下的，但平日也只停在停車場，絕少會使用。

他回到樓上，把行李箱和其他雜物搬到車上，看看手錶，已是晚上21:45，他知道她家人大概到了十二時便會意識到Maggie出了問題（因爲有些時候Maggie會在十一時半才離開麗港城的房子），而今天又不是她要到藍田這邊工作的日子，即使她家人報了警，警方也會在失蹤二十四小時後才列作失蹤人口案件處理，因此只要在路上不被警察截查，他就有足足二十四小時的時間去處理屍體和清理現場。

他一直開車至一個新界的偏僻山頭，那兒是一個永遠墳場，他把車停在入口處附近的一所小石屋的門前。

「媚姨。」O一面拍門一面喊。

「唔，誰呀？」不久從屋內傳來一個聲音。

「是我。」

屋內馬上靜了下來，片刻燈開啓，一個女人走了出來。

媚姨是個年過四十、右眼瞎了的婦人，聽說她是六七年暴動期間在電車站等車，有一個土製炸彈在她後面爆炸，炸彈的氣流把她的眼弄瞎的。

她的丈夫本來是一個刺客，因爲失手而被殺。其後她就來當了這墳場的管理員，並一面暗中當「清道夫」的工作。

所謂「清道夫」，就是替人處理屍體的人。媚姨的收費雖然不便宜，但她在行內一向是以手法乾淨、不留線索見稱。不少刺客都會光顧她。

「這麼晚呀。」媚姨打了個呵欠。「多少件？」

「一個。」

「哪兒？」

山。

「在車上。」

「指紋、衣服、血跡、牙齒、子彈?」媚姨問O。

「嗯,」他點點頭:「全弄妥了。」

「是你的話我就放心了,我拿工具到你車上。」媚姨於是拿了鐵鏟和電筒,隨O的車上山。

他們停在一排土葬墳場的路口處。

「那剛巧有位置。」媚姨告訴O。

O於是把 Maggie 的屍體搬到一個墓地前,墓地的石碑已經安好,而前面則掘了一個安放棺木的坑,約有四、五呎深。

「甚麼時候下葬?」O問。

「明天,明天十時。」

O跳進坑內,繼續向下挖掘。而媚姨則在坑旁拿著手提電筒給O照明。墳場有著它獨有的氣味,那是一種醫院的氣味,但O懷疑這並非消毒藥水的氣味,而是醫院本身就夾雜著死亡的氣息。

他大約把洞再挖深三、四呎左右,接著便打開行李箱,把防水膠袋拆開,然後將赤裸的 Maggie 抱在懷裡,她的手指已經變硬,O輕輕地,有一種彷彿害怕弄醒她的溫柔,將她放在坑內。並將她的雙手交疊在胸前,然後爬出墓穴,再把泥土重新鏟下坑中,把 Maggie 埋起來。

O不斷把泥鏟下去，直到墓穴回復到O剛才挖掘前的深度。

「其餘的一切衣物交給我就可以了。」媚姨告訴他。

而O在回到藍田前，先把車駛到二十四小時營業的洗車公司，把所有沾在車身和車胎上跟墳場有關的，如雜草、泥土等徹底洗掉。

而住所內的血跡已初步清洗了，但仍有些殘餘的血跡和玻璃碎片沒有清理，於是O便回到麗港城的住所。

他用一塊厚的濕布在地板上抹，一方面可清潔血跡，而小至肉眼看不見的玻璃也會沾到布上。

O終於明白到為何 Maggie 說木地板是需要打蠟了，要是這兒木地板沒有打蠟的話，血跡就會滲進地板，洗也洗不掉，大概要倒下墨汁來掩蓋它了。

現在，只要輕輕一抹，血就消失了。

可是地上還留下了些紅毛仔等人的鞋印，於是O從廚櫃裡拿出打蠟水倒在地下，然後依平日觀察 Maggie 打蠟時的方法，用拖把為地板再打一次蠟。

O從沒有試過這樣做，他老是覺得自己不是懂得做家務的那種男人。他想，要是現在能抽離到那邊，用望遠鏡來觀察自己的話，那必會顯得很滑稽。

可是他又感到後悔，為何自己從沒有想過要過來這邊，他每晚都只是躲在他的巢穴，不敢踏出一步，爲甚麼他會這麼自私，即使是片刻也好。他大可通知 Maggie，今晚會回來，要求她替自己煮一頓晚飯，然後在她快煮好的時候過去那邊，邀請她跟自己一起吃飯，然後自己主動提出幫忙洗碗，然後兩人大可在電視前聊聊天，看看影碟，而不是躲在那破工場中手淫。

可是，他沒有這個勇氣。

也許托爾是說對了，自己所謂的計劃其實是因爲不敢冒險，保護是源於怕死。

O不敢冒險，因此也不敢去愛。

可是，O也不認爲不怕死就一定代表勇敢，正如水戶義公⑫所言：「應死時絕不偷生、應活時絕不輕生」，把勇敢用在非必要的場合，不顧後果的不怕死，這只是一種所謂的「犬死」，也是莎士比亞筆下「勇敢的私生子」。

所以，O並不欣賞托爾這種匹夫之勇。

不怕死亡，可能只是源於渴望死亡。

O並不渴望死亡。

那一夜，O沒有回到敬業街那邊，他知道紅毛仔暫時不會再來了，因此他想多留在這兒。他的身體已經疲倦不堪，身上充滿汗臭、血腥和泥濘的氣味。如果有人從O身旁走過的話，大概怎樣也不相信O曾在七個小時前洗過澡。

可是，即使O的肉身如此疲倦，但他卻不能入睡，怎樣也無法睡著，思想前所未有的清晰。他一閤上眼，剛才Maggie中槍、客貨車撞上、脫衣服、開刀、拿子彈、打碎牙齒、墳場埋屍，一連串影像，就像快速搜畫般湧現眼前，教他無法入睡。

他環顧四周，這屋的佈置他十分熟悉，只是身處其中，感覺就有點陌生，正如從沒有想過自己會身處魚缸中看金魚一樣。有著一種難以形容的新鮮感。

突然，他發現茶几上放著一台隨身聽。那是屬於Maggie的，平日她在溫習時就是聽著這機，大概剛才在收拾餐桌上的課本和雜物時，忘了這隨身聽吧。

那是舊式的新力牌隨身機，笨重的黑色塑膠機身，似乎她已經用了多年。

O忽然有衝動聽聽Maggie平日愛聽些甚麼歌曲，每晚O都看著她在餐桌前溫習，了解她的一切活動，卻從不知她在聽什麼。

於是他戴上耳機，按下了〔PLAY〕▼。

No I can't forget this evening
Or your face as you were leaving
But I guess that's just the way the story goes
You always smile but in your eyes
Your sorrow shows, yes it shows

那是AIR SUPPLY的《WITHOUT YOU》。

一首O早已遺忘了的歌曲。

No I ca't forget tomorrow
When I think of all my sorrows
When I had you there but then I let you go
And now it's only fair that I should let you know
What you should know

爲何自己會對這歌忘得一乾二淨呀？

這曾是我的最愛呀！

爲何現在要哼這調子時，就像孩子初學說話時般吃力呢，這歌在我當刺客前是時常聽的。

原來，在不知不覺間，許多事情都會被淡忘。

教人再也想不起。彷彿就像從未聽過一樣。

I can't live, if living is without you
I can't give, I can't give anymore

I can't live, if living is without you
I can't give, I can't give anymore

時間將洗去一切。不，不單是時間，新的事物也可把舊的抹去，新創傷會令人忘記舊患的痛。

O清楚明白這點，因爲現在回想起來，白志堅是一個何等模糊的人。他甚至開始不能肯定自己眞的殺過他。

O感到害怕。

他不想再思考下去，這類問題並非他的專長。他沒有按〔STOP〕■，但他卻希望這歌快點播完，免得他再繼續胡思亂想。

可是，當歌曲播放完後，音樂又再次響起。

錄音帶上播的仍是《WITHOUT YOU》，不過這次則是瑪麗亞・凱莉（MariahCarey）所唱的版本。

接著，當瑪麗亞・凱莉唱過後，又重新是AIR SUPPLY，接著又再是瑪麗亞・凱莉。

O按下了〔FF〕▶▶，可是前面的情況仍是一樣。

不斷循環，不斷重覆。

A SIDE如此，B SIDE亦然。

I can't live
if living is without you
I can't give
I can't give anymore

O終於哭了，眼淚豆大般潸潸地滴下來。

結果，O那夜一直沒有睡，直到差不多天亮的時候，他再洗了一次澡，然後穿上那件Maggie曾經爲他準備好的深藍色襯衣和淺棕色西褲，仔細地梳好了頭髮，出發往墳場。

那死者的棺木已經運到了墓地，他家人都圍在四周，看著仵工把棺木徐徐地吊下墓穴之中。有一個大概是死者的妻子在旁呼天搶地，他家人正努力按著她。其他像是以朋友同事身分來送殯的人，則似乎沒有太大的反應，表情就似只是站在斑馬線前等待轉綠燈的行人一樣。

而O則架上一副墨鏡，站在相隔四、五行墓地的山丘位置，以一種沉痛和傷感的神情，參加這個陌生人的葬禮。

除了媚姨外，沒有人留意到他，他只是默默地哀悼着。

O了解到，再不會有人發現Maggie，她將從世間消失，現在世界只有他自己一個知道

Maggie的死訊，只有他會爲她的死而傷心。

他是她葬禮的唯一參予者。

他可以想像到，躺在泥土下的她將會面目全非。他清楚在二十四小時內，她的眼、口和鼻都會開始長出蛆，大概三至五日左右，肉體就會腐爛，而五至十星期左右，肌肉和內臟也將會全部腐爛掉，全部消失了，楚楚可憐的她將會變成白骨，更形可憐。

只有骨頭，骨頭將繼續存在，直到下個世紀末。

「你不應來這兒。」媚姨走近後向O說。

「嗯，我知道。」他點點頭。

媚姨只是跟O一起望向葬禮，她並沒有轉過頭去看他，因爲她知道，O之所以架上一副墨鏡，就是不希望別人看到他的眼。

註解

①H.R. Giger：（1940－ ）超現實主義畫家，因設計電影《異形》（Alien）系列的造型和場景而聲名大噪。爲當今好萊塢頂尖的美術設計師。

②薩爾雅多・達利（Salvador Dali, 1904-1989）：西班牙著名超現實主義畫家，以其夢境般繪畫手法馳名。

③五個關卡：當時鄭汝成之司令部設於龍華，而日本領事館則位於外白渡橋北側。因此鄭既可乘車從多條路線前往，

亦可從黃浦江上乘兵輪過去。所以陳派十名殺手設了五個關卡把守，一爲十六舖，二爲跑馬廳，三爲黃埔灘，四爲海軍碼頭，五則是外白渡橋。而五關卡都位於租界之內，並沒有中國軍警把守。

④佛羅基阿門：十五世紀末義大利著名畫家及雕塑家。

⑤達芬奇（Leonardo da Vinci, 1452-1519）文藝復興時代之藝術大師，代表畫作有《基督的最後晚餐》及《蒙娜麗莎》。

⑥達芬奇年輕時曾拜當時知名的佛羅基阿門爲師，學習繪畫。佛爲祭壇繪畫油畫《基督受洗》，達替他畫右下角兩個天使。但結果生動的天使令佛所畫的主體相形見絀，佛因此感到慚愧，從此不再繪畫，轉投雕塑。

⑦薩克森人：古日耳曼民族的一支，七七二年時被法蘭克王國查理曼大帝征服。

⑧維京人：八至十世紀時活躍於北歐的海盜民族。原居瑞典、丹麥等地，公元八七〇至九三〇年之間進行大規模遷移，趕走了冰島上的帕帕爾人（Papars），並定居於島上。

⑨九龍皇帝：原名曾灶財，生於一九二〇年。年少時回鄉看過族譜，發現釜山道及彩虹一帶之土地被英政府侵佔，於是自一九九五年起不斷在港九各街頭寫大字，自稱九龍皇帝，要求得回失地。

⑩索拉娜（Valarie Solanas）：激進的女性主義同性戀者。著有 SCUM 宣言，於一九六八年六月三日向美國普普藝術大師安迪沃霍爾（Andy Warhol）連開三槍，將他擊斃。

⑪SCUM宣言：（Society of Cutting Up Man）內容主要講述男性因爲先天遺傳的染色體短過女性，因此一生希望變成女人，爲了掩飾絕望和缺乏人類美德，於是一手製造戰爭和金錢制度。

⑫水戶義公（1628-1700）：本名水戶光?，日本德川時代著名的藩主。

8 超現實的隧道・抓住一剎那・寧靜的追逐

過了兩天，Bill 接到了托爾的電話。

「你現在在哪兒?」Bill 問他。

「你不用擔心，」托爾說:「我要求的酬金怎麼了?」

「二十萬美金。我先存五萬二千元美金進你的戶口。」

「嗯哼。」

「那槍要我負責嗎?」他問托爾。

「我自己處理就可以了。」托爾笑了笑。「你還是擔心你的餐廳生意吧，我看近來顧客好像少了些。」

「合約訂明了在那天她到達……」Bill 強忍著怒氣，裝作沒有聽到。

「知道了。」他說著掛上了電話。

Bill 此刻惱羞成怒,這傢伙簡直完全不把自己放在眼裡,他明白,自己當日對托爾的提拔，是有眼無珠的錯誤抉擇。他只不過是一隻魯莽亂竄的爛頭卒而已。現在，是棄卒的時候。

他要讓人知道,自己不單是一個刺客,更是一個管理的專家,他有足夠能力管理這餐廳，同樣也有能力管理更多的刺客，當上大拆，甚至擁有自己的班底……

「叫阿陳半小時後上來，」Bill 對身旁的手下說：「告訴他要談一下改菜單的事。」

而當他的手下出去後，Bill 再次拿起電話。

托爾認爲在哪兒殺人都不重要，手法上的表現才是重點。

根據資料顯示，目標平日慣乘地鐵，當天將會到渣華道的香港殯儀館，出席一個友人的喪禮，買家要求必須在目標到達殯儀館前幹掉她。

托爾於是決定在模範里出口處埋伏。

他感到振奮，他終於躋身爲國際級的「百萬殺手」，這不是單單爲了金錢上的利益，而是作爲一個殺手應有的尊嚴。

而且要幹掉O，他必須花上更多的錢。

上午時分，由於過了上班時間，鰂魚涌的地鐵站內的乘客並不算多。

10:18。

地產公司東主鄭惠香是一個年過三十的少婦，衣著打扮頗爲入時，很難教人想像到她竟是多間新界地產公司和餐廳的東主，要不是她那有背景的男友，幾年前誰也不會知道她的名字。她的男友在棄保潛逃至台灣前，將一切資金和物業都轉到她的名下，然後自己在台灣繼續遙控其走私生意。

這天，鄭在公司男職員和友人的陪同下，出席一個朋友的喪禮，她一向習慣乘公共交通工具出入，因此她們便從九龍乘地下鐵往鰂魚涌。

從車廂下車，穿進軍綠色的隧道，負責陪同鄭前來的健碩男職員不斷四處張望，以防有突然的事情發生，因爲他曾聽說可能會有人對邦嫂不利，可是邦嫂卻不肯聽勸告，乘私家車前來。

他們一行三人一起穿越那悠長的隧道，他討厭鰂魚涌站，因爲每次來到這兒，總是走許久也走不到地面似的。

站內的職員正在定期更換燈箱的海報，隧道內一列的海報都被除下來，燈箱露出了背後的光管，使得整條隧道充滿了一種帶有超現實味道的不自然，讓人想起《2001 太空漫遊》的情節。

這種不自然帶來了不安，於是三人下意識地加快了速度，希望盡快穿過隧道，到達地面。他們轉過了路口繼續行，向模範里方向走去，一直行至行人電梯前，登上電梯。

即使接近地面，那職員顯得更爲小心。他站在鄭的前面，而其朋友就在她的身旁。站在他們前面只有疏疏落落的路人，行人電梯旁的是一條反方向的電梯，有幾個嘻哈調笑的初中男女正在走下去，職員看著對面往下去的電梯的頂部，監視有無可疑的人下來。

一切大致平靜。

於是他們一直上，而那些學生的笑聲也逐漸遠去。突然間，站在他們前面大約二十多級梯階的男人，右手抓著扶手向後一翻，整個人坐到兩條電梯之間的金屬斜台上，而且高速滑下，迫向鄭惠香等人。

那正是托爾。

電光火石之間，托爾由距離二十多級梯階衝至跟他們不足五呎的距離，握在他右手中的白朗寧 9mm RUGER，像陽具般迫向鄭面前，那健碩的男職員還來不及掩護，托爾已擊中了鄭的前額。

在旁的友人拉住鄭，讓她不致倒下，那男職員馬上拔出黑星手槍，可是視線卻被鄭二人所阻。

當托爾越過了他們，繼續向下滑時，還轉過身再向鄭補上兩槍，一槍打中她的肩頭，另一槍則擊中她的腰部。

而當快滑至底部，托爾乘勢站起，立刻從金屬台上跳下來，向月台方向發足狂奔。

「call 條子!」男職員一面逆著電梯跑下去時一面喊道。那群初中生只有瑟縮在一旁，看著這兩個握著手槍的人在面前掠過。

托爾不斷地跑，強光使他仿如置身於夢境之中。雖然剛才已用左手不斷地卸力，可是現在臀部仍然隱隱作痛。他不明白怎麼高秋在《龍虎風雲》中滑下去可以若無其事，托爾曾以慢鏡和定格觀看了這段片段許多次，肯定了那滑下來的正是周潤發本人而不是替身。

托爾一邊跑一邊想，大概是因爲片中的那部電梯，中間並沒有那些隆起的三角型防滑欄吧！

他一直跑，直到走近月台，穿越了驚訝的人群。月台上正停著從東九龍線駛過來的列車，乘客全都已經下車。此時那男職員正拿著手槍追至，他舉槍向托爾連開三槍，但沒有打中，可是在托爾身旁的一個老伯和少女應聲倒下，其他乘客紛紛驚呼狂嚎，四處亂竄，令月台一片混亂。

此時，月台上的列車正響起了關門訊號，托爾撞開了人群，門已經開始關閉，托爾縱身一跳，在千鈞一髮間從車門的窄縫中擠入車廂。

列車開始啓動，站在月台上的男職員眼看上不了車，於是就隔著玻璃窗向車廂內的托爾射擊，子彈擊碎了車窗射入車內，托爾忽然趴下避開了。接著托爾馬上拔腿向車頭的方向狂跑，並回槍還擊，月台上的男職員於是不斷追上前，一面跑一面掃射，可是漸漸他跟托爾的距離越來越遠，超越了他的視線範圍，他仍繼續地追趕，直到托爾隨列車消失於無盡的黑暗之中。

列車本來應是駛到交會處，然後反方向駛向往油麻地方向的月台。

可是駕駛員在收到月台職員的警告後，把車停了下來。

托爾不敢怠慢，他換上了新彈匣，然後從被擊破了的車窗爬出列車之外。

托爾暗忖，現在走回剛才的月台是不可能的，因爲那傢伙可能正從那邊追來或在等待他。

不如自行潛往油麻地的月台。

這列車現在停在這裡，隧道內應該沒有其他的列車行駛吧。

於是托爾決定摸黑前行。

初時，他還可靠著列車前端照明燈的光線，可是走了二、三十公尺後，眼前就變得漆黑一片，除了每隔一段距離有電錶上的小燈外，托爾什麼也看不見。

他不自覺地抓緊了手中的手槍，因爲在完全看不見的環境下，只有手槍才會帶給他安全和可靠的感覺。他左手握著白朗寧手槍，右手一面摸著隧道的牆壁，以快卻碎的步伐向看不見的前方邁進。

一步一步邁進。

托爾開始感到一股凜冽的逆風正從隧道的前方呼呼地吹過來，似乎要把他吞噬於黑暗之中。他無法估計風是從隧道多遠的地方吹過來，這隧道彷彿像永無盡頭似的。

托爾嘗試把頭轉向後，可是剛才原來的方向已像前方一樣變得黑黝，這樣無分別的影像，令他甚至意識不到頭部的轉動。

他感到一股突如其來的嘔吐感，竟毫無先兆地從胸口湧上來，喉嚨一陣刺痛，然後便嘩啦的嘔吐起來。托爾在漆黑中看不到自己的嘔吐物，只聞到一陣胃酸獨有的刺鼻酸臭，他扶著牆支撐身體，令自己不致倒下。

是黑暗。

黑暗令他嘔吐，一切的影像浮現眼前。

托爾感到腦部一道劇痛，但他必須繼續向前行，沒有人能幫他，他必須獨自走出這黑暗。他緊抓槍柄，彷彿害怕它會在黑暗中無聲無息地消失了。

站內一片混亂，受驚的乘客四處逃命，迷宮一樣的站內隧道引發出災難性的恐慌。群衆找不著出路，因此只有四處亂竄，互相碰撞，不少人被後來的人群踏傷，要躺在一旁等站內的職員來急救。

站內每個月台的列車都停頓了，工作人員還未弄清發生了什麼事，只是月台職員向控制中心報告，月台發生了槍擊事件，幾個行人中槍倒地。

往油麻地方向的月台並沒有停泊列車，上面只有幾個跑來跑去的忙碌職員。

托爾乘他們不留意，突然從月台盡頭處跑上來，跑入隧道之中。

他發現弄不清自己所在的位置，他不知自己現在跑往何方。他甚至在行動之前並沒有計劃，所謂「即興創作」在他的行動裡佔了相當的比例。托爾一向不喜歡「固定」的，所有計劃都是死的，人本身才是最重要。

正如當年安昌浩①臨時改變計劃，讓尹奉吉單人混入虹口公園，也同樣成功刺殺到日軍的最高司令白川義則大將②一樣。

而孫鳳鳴③在國民黨四屆六中全會合照時看不到蔣介石，馬上轉殺汪精衛，這也是殺手

「即興創作」的模範，可惜他只是欠缺了丁點運氣而已。

因此，托爾總認為太詳細的計劃是不必要也沒有意義的。通常他都會到了行動前最後一刻，根據當時的人、環境給予的靈感來行事。而逃走的路線，往往可能在行動過程中或事後，慢慢摸索出來。

托爾記得曾經不知聽誰說過，一幅在有了草圖、慢功出細活地繪出來的畫，並不是真正傑出的作品。

真正的傑作，是要在別人潑墨到你的畫紙，拉扯你的畫筆，這樣被人擾亂的情況下畫成的。

只有在這種情況下仍能作畫的，才算得上是真正的名家。

托爾一直相信這樣的話，所以在事前經常都沒有什麼計劃。

他不斷地跑，皚白強光提醒了他，自己已離開了黑暗。

他跑到了一個路口，到底應該向左還是向右呢？托爾問自己，兩邊都像是出口，同樣，兩邊也都不像。

正當他在猶疑的時候，在他右面的兩支燈箱光管突然爆開，托爾本能地閃向一旁轉身還擊。

原來那男職員正追來，他估計托爾會隨列車到往油麻地方向的月台出來，於是馬上跑到那兒等待他，可是遲遲不見列車到站，而月台職員又不斷呼籲乘客疏散，於是他便混入人潮中，在站內四處兜截，看看有沒有托爾的身影。

誰知在這路口碰上他，托爾正背向自己站在路口，於是他馬上舉槍並扣動扳機，可是第一、二槍擊中了托爾身旁的燈箱，當他正要開第三槍的時候，手中的五四式黑星槍就出現了卡彈，無法發射。

「幹！」那職員叫了一聲，這樣托爾就得了個還擊機會。

他正要伸手到退膛處取出卡着的子彈時，托爾已經向他連發猝射，他只得馬上滾到角落處躲避。

而托爾也沒有繼續糾纏，他向右邊的路口跑去，他之所以往這邊跑並沒有特別原因，只是反正任何一邊結果可能都一樣，於是不如完全碰碰運氣吧。

他不斷地走，而那個男職員則窮追不捨就非要替老板報仇不可。

托爾一直跑，跑到行人自動電梯，他迅速跨上去，一直跑上電梯的頂端。

前面距離五公尺左右，是一個轉左的路口，但當托爾正想衝出去時，他聽到轉彎前有些乘客的驚叫聲，但夾雜著無線電的聲音。

「走開呀！」兩個聲音從那邊衝過來。

已經不可退回去，托爾已聽到了那傢伙跑上自動電梯的脚步聲，不出三秒他就跑上來（參考圖表(三)。於是托爾決定狠狠地孤注一擲。

他把 9mm Ruger 伸出轉角然後扣動扳機。

轟！轟！轟！轟！

在地面衝下來的兩個軍裝警員，面對突如其來的槍擊，馬上躲到轉角路口處不敢出來。托爾知道他至少又爭取到三秒的時間，在槍聲還沒靜下時，他們不會毅然伸頭出來探看。托爾沒有時間換彈匣了，因此他不能開得太多槍，幸好大口徑手槍開槍時往往一發子彈會產生三種聲音④，四發子彈就令他們聽來像一排機槍子彈掃射過來。

托爾於是鼓起一口氣，躍出了那轉角位置，那警員趕緊閃到一旁，使托爾躲過了腹背受敵的危機。轉到左邊隧道的托爾，馬上把槍伸出轉角，重新指向剛才上來的電梯。

轟！轟！轟！轟！

托爾再向那邊連開四槍。

即將跑上來的那男職員馬上連翻帶滾的向後退，他本能地繼續再退幾級，避免不斷往上升的自動梯會把他送到托爾的槍口之下。

向著隧道右邊的警員聽到槍聲停止了，於角落轉出來。可是他想不到，托爾此刻已經跑到他面前，他被嚇呆了，正要舉槍制止他，但當他舉起了槍，托爾已用一個假身一閃，越過了他的手槍，直趨他面前。

距離更近了，那軍裝警員還來不及把手上的槍轉過來，托爾已用肩背向左一撞，把他拿

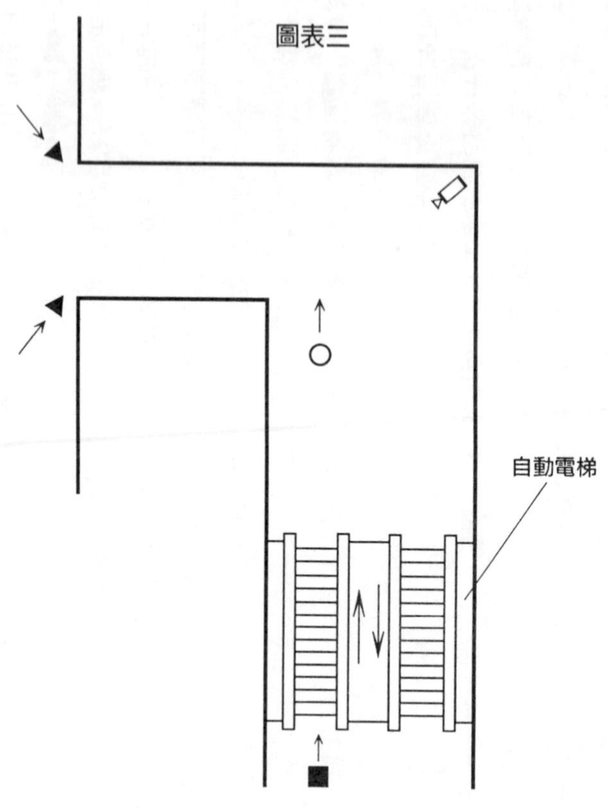

○：托爾
▲：軍裝警員
■：男職員
閉路電視符號：閉路電視

著槍的手壓到燈箱上，幾條燈管給他撞爆了，碎片插入托爾的背和警員的手中。那警員馬上動彈不得，他慘叫地掙扎著，可是他越掙扎，托爾壓得越實，他想把槍轉過來，但無法成功。

躲在路口另一邊的警員看見同僚被襲，於是一躍而出，可是托爾的槍早已指著他，托爾連開兩槍，擊中他的胸膛，那警員悶哼了一聲便弓身倒下。

托爾手上槍的滑鐵後退並卡住了滑板鎖，他的子彈射完了。

被壓著的軍裝警員目睹同僚被殺，顯得極度驚慌，他死命掙扎，扣動了扳機開兩槍，可是怎樣也無法把槍轉過來。

托爾從容地退出彈匣，換上新一排子彈。此時自動電梯的男職員已經跑到電梯前的路口，托爾把身體向後傾，用力壓著警員拿槍的手，然後側身把槍轉過去對著那邊連開三槍。男職員當場被打個正著，向後倒下。

軍裝警員被嚇得魂不附體，手中軍棍也不敢揮過去，托爾回過身，用槍抵住了警員的脖子。

「不要……不要……」那年輕的警員在哀求着。

「No，勇敢點……」托爾微笑地說，語氣彷彿像一個替學童作抽血檢查的護士般。

托爾扣動了扳機，手槍發出了一聲雷霆震響，警員眼前頓時變成一片黏稠熱濕的紅。

抓住機會的一秒。

托爾一身沾滿了別人的血，但他不在意，一直以來，這是他由孩提時所追求的東西，抓住機會的一秒。

今天，他終於在鯽魚涌的一條隧道內實現了他的夢。

他看準了時機，抓住了機會的夾縫，然後準確出擊，一秒間由無變成有，使死轉爲生。

這個轉角成爲他人生昇華的舞台。

在這舞台上，他以嫻熟的技巧，視死如歸的悲壯情操、舞蹈般的優雅，爲刺客歷史完成了一首焚煉心靈、壯美浩蕩的交響曲。

托爾知道，電梯前面角落處的閉路電視，會是他最忠實的記錄者，這將能成爲歷史的模範，但願有人將這影帶放上了電腦的網際網路之上，成爲其他殺手日後的參考教材。

鄭錦富終於想起，他曾經在哪兒見過照片中的人。

自那天後，他一直在回想爲何自己感到似曾相識，是根據 Gi Gi 所說那樣，他和某些不知名演藝人員相似嗎？但這是不可能的，他除了新聞外，什麼電視都不看的。

後來他在思前想後終於記起，相片中人的外表跟一段新聞中的人物非常相似。

那是一段關於上屆奧運會的半軟性新聞，雖然過了這麼久，鄭錦富在腦海中仍留有印象。

他並不肯定那個是不是他，於是他特意駕車到九龍中央圖書館。他必須要翻看了新聞圖片，才能肯定是不是他。

鄭乘電梯到圖書館的那一層，他已許久沒有來圖書館，自從出來工作後，想看什麼書可到書局買，因此已甚少來這些地方。

可是鄭之前到過幾間書店，他們都沒有關於奧運的資料書籍或圖片集。並提議他要是眞的想看的話，就到中央圖書館找找看。

「爲什麼呢？爲何你們會沒有這類書呢？」

「其實是有幾個原因的。」書店老板告訴他。「一來本地出版社並沒有出版這類體育書籍，大多是中國出版社所發行的簡體字版，我們過往也甚少進簡體字的書，你知道在香港還未普及嘛！」

「而且，一向這些體育類的書大都不好銷，因爲這類書的讀者，並不是平常會到書店的那群。喜歡運動的人就去運動了，很少會到書店嘛！所以你還是去圖書館找找，可能會找到你想要的東西。」

此刻，他來到了圖書館。

他想，與其胡亂去找，不如先從資料目錄卡開始找。他在那堆資料櫃中找到了「康體科」的五二八號櫃。鄭錦富一手把長櫃抽出，裡面裝滿了密密麻麻的資料卡，全部依筆劃次序排列，並用鋼條串在抽屜之中。

鄭在心中盤算著，奧運的「奧」共有十三劃。

於是，他用手指不斷在資料卡上掃過，找到了寫著「十三劃」的那張提示卡。

突然，鄭錦富發現在十三劃的資料卡處，有一個位置是明顯被人翻開露了出來。而那正是關於奧運的一本書。

奧運九二巴塞隆那／文匯報編印
定價：$25
ISBN：962-7993-09-3
528.983
0074 C 3018299

鄭錦富突然有一種很不祥的預感，他馬上關上了資料櫃，然後用急速但輕的腳步穿過坐在大桌前閱讀的讀者，一直走向康體科的書櫃。

他從腋下拔出了佩槍，然後把外套的摺袖反了下來，掩蓋住手中的點三八口徑左輪。

他有預感，影像中的人曾來過這兒。如果那人就是O的話……

一想到這，鄭錦富馬上惴惴不安，他輕輕地拉起了擊鐵。

看著書櫃角上的牌。鄭穿過一排又一排的書櫃，每次當有人拿着著書從櫃與櫃之間出來時，鄭都會聽到自己心臟的收縮。

他正逐漸迫近 528.983 所在的書櫃。

000　總類

100　哲學總類

200　宗教總類

300　自然科學

400　應用科學

500　社會科學

鄭從櫃後一躍而出，用槍指進書巷內。

一個正在看書的少女被嚇得目定口呆，她看到這男人手中握著手槍，差點就叫了出來，鄭及時制止了她。他從袋中拿出了警員證給她看，並示意她不要揚聲。

鄭正想在櫃上找尋那書，可是他卻發現在《奧運九二巴塞隆那》正半揷入書架之內，封面上游著仰式的運動員面孔淸晰可見。

此時女孩驚魂稍定，她看到鄭在看著這書。

「他走了……」女孩輕聲地告訴鄭。

「誰？」

「看這書那人啊。」

「往哪邊走？」鄭錦富壓低聲音問。

女孩指著書櫃的另一端。

於是鄭趕過去，他隔著玻璃，看到一個穿灰色風衣的男人站在大堂，鄭錦富的直覺告訴他，這就是O。也就是當天在灣仔拍照的那人，只有殺手才擁有這樣的眼神，他向鄭回頭瞟了一眼，那粗膠架眼鏡仍掩蓋不了驃悍。

鄭正要舉槍拘捕他，可是此時電梯到，幾名母親帶著小孩從電梯出來，O靈巧地混在人群中進了電梯，令鄭錦富無法瞄準他。

鄭錦富跑到出口那兒，可是電梯已到二樓，於是他馬上從防火巷跑下去。

當跑到大堂時，已不見了O的蹤影。

「幹！」鄭錦富在咒罵著，大廳的人都被他的咒罵和他手上的槍驚動。

這是多麼難得的機會呀！他追查了O的事件近兩年，這次是頭一次跟他有直接的接觸。雖然他不能解釋他爲何肯定這就是O，但他就是憑直覺感覺到。

正如他直覺堅信O是一個人，而不是一個工作小組一樣。

錯過了這次千載難逢的機會後，鄭擔心是否仍再有遇上他的機會。

突然，他留意到大堂的角落上安裝了一部閉路電視。於是他走向站在還書處的短髮少女。

「小姐，」鄭一面出示警員證一面說。「我是重案組的鄭督察，請問你們的館長在哪兒。」

鄭錦富要求看整個上午的閉路電視錄影，因爲既然O在圖書館之內，他進入圖書館時也應該拍到他的影像，鄭督察希望從中找到線索。

結果，他終於從粗糙的錄影畫面中，找到了O進入圖書館時的片段，那是大約一個小時前的事。他可看到O在進來後，曾在還書處的櫃檯上還了一本書。

「妳知道他還這本是什麼書嗎？」鄭指著定了格的畫面問剛才櫃面上負責還書的短髮少女。

「畫面那麼模糊，我怎麼認得呀？剛才這麼多人還書。」

「那可以找到嗎？」

「試試看，理論上是可以的，你繼續放下去吧。」

於是鄭錦富繼續將影帶放下去，O在還書後會乘電梯上去，跟著兩名男學生來到櫃檯處還了兩本書。接著又有一個老伯過來還了兩本書。

「我想起了！我想起了啊！先在這兒暫停吧！」短髮女孩緊張地叫道。

「怎樣？」

「這老伯還的大本那本是《故宮精藏圖片人物薈萃》，因爲那是過了期的，所以我能記得。剛才那男人就是這書前的第三本，我去還書處的手推車上就能找到。」她告訴鄭錦富。

於是短髮少女就從手推車上找來了一本厚厚的，叫《新世界》的書。作者是傅立葉。

「妳知道這書說什麼的嗎？」

「我聽過朋友提過這書，這作者好像是甚麼共產黨之類。內容都是批判資本主義的問題、病態。很悶的呢！」

「嗯。可找到這借書人的登記資料嗎？」鄭錦富問。

「當然可以，只要在電腦一按就行了。」

短髮少女於是在櫃檯的電腦前按住，片刻就找到了資料！

「他的名字叫馮志高，住在旺角花園街 225 號二樓。」她說著又停了一會。「嘩，他也讀過許多書啊。」

「什麼？」

「這兒可看到他在何時借過什麼書嘛！眞多得要命呢！全都是會悶死人的那些。甚麼《明夷待訪錄》、《純粹理性批判》呀、《THE SAS SURVIVAL HAND BOOK》，還有《幾何原理》和《草葉集》。眞是雜得要命啊！」

「小姐，能否替我把他看過的書找出來？」

「可以，但你想要找至何時的？他……」

「全部，全部他看過的都要。」鄭督察說。「如果可以的話，就要他所借閱的那本，要是沒有的就別的也可。」

「可是有些書不在這兒，而在別區的圖書館，集齊可能需要一段時間啊。」

「這個沒問題，一會兒我們就會有同事來協助你。還有，」鄭錦富一面匆忙走一面回頭說：「替我留多一本甚麼《奧運九二巴塞隆那》啊。」

短髮少女看著他離去，過了一會才醒起，他拿走的那本悶書還沒有做借書登記呢！

註解

①安昌浩：朝鮮獨立黨人。於朝鮮被日佔期間流亡中國。在上海成立了「太格太」特工組織，一直從事反日工作。一九三三年四月二十九日安與華人王亞樵合作，於日軍在上海「祝捷」會上放置炸彈，刺殺了白川義則等人。其後安及其同黨先後被捕，被引渡到漢城處死。

②日軍在上海虹口公園舉行祝捷會，只許日本和朝鮮人參加，原本計劃是由尹奉吉、李東海這兩個朝鮮人假扮情侶混入公園，可是安昌浩到了公園門外，礙於警衛極嚴，少女李東海又表現得恐慌，而且體弱。於是果斷地臨時改變計劃，讓尹一人提裝有炸彈的大熱水瓶進場。

③孫鳳鳴：上海「斧頭黨」人，一九三五年十一月一日，假扮記者混入南京中山陵園謁陵的六中全會，準備用藏於相機內的小左輪槍刺殺蔣介石，但因蔣突然決定不出席合照，於是馬上轉而殺汪精衛。事後汪中三槍但幸而不死，而孫則被守衛擊斃。

④三種聲音：一是槍膛爆聲，熱瓦斯將子彈推進槍膛所發出來的磨擦聲。二是子彈聲，子彈穿過空氣，所造成的震撼聲。三是子彈擊中目標／物件的聲音。

9 最後一次・事實的兩面・有眼無珠

在那本由文匯報印製的特輯中刊登了一幅新聞圖片。中國射擊代表隊新秀駱達華因爲暈倒而半躺臥在地上，中國奧委會的名譽會長正在他身旁緊緊的握著他的手，並安慰著他。那正是攝於他僅以0.1分之差而失掉金牌之後。

年僅二十歲，帶有瑞典籍血統的天津人駱達華，被教練和隊友稱他爲「史翁①的玄孫」。駱在射擊方面極具天份，他在十七歲那年，就以定向飛靶一百九十分，野豬靶五百六十四分和快射手槍的五百八十九分成績入選國家隊。

在三年極刻苦的訓練中，駱達華的表現一直爲教練所讚賞，在全國公開賽和亞運中也得到優秀的成績，國內的報章甚至認定了他是「少年許海峰」。而九二年雖然是他第一次參加奧運，但一直被外界估計他極有可能在他強項十公尺擊中奪取金牌。

可是由於外界的壓力和日以繼夜的練習，令駱達華精神過度集中，形成神經緊張和偏頭痛，經常感到頭暈。

結果在參賽前幾天已感到頭昏眼花。可是這比賽對他來說太重要了，他不想多年來的訓練付諸東流，於是仍堅持帶病上陣。

比賽當日駱達華回復表現狀態大勇，在決賽時首九槍一直遙遙領先。當傳媒和世人都以爲他可奪金牌時，突然發生了宿命性的悲劇。

會場突然停電，駱眼前變成黑魅的世界，他強撐起的精神就像戳穿了的氣球般，洩氣得一發不可收拾。他開始倒下，眼睛完全望不見靶子。他憑感覺發了最後一槍，結果只得 6.5 環，以 0.1 環之微飲恨。

他喪失了夢寐以求的金牌。

「你肯定這就是一直找你麻煩的傢伙？」七叔問O。電子遊戲機的聲音很吵，但他不能提高聲線。

「嗯哼。」

「我也替你查過，但總是不清楚他爲何會知道你的通訊號碼，大概是電訊公司那邊有人走漏消息吧。」

「但即使是電訊公司把我的號碼外漏，他也不可能知道我的目標是誰呀！」

「那你這樣說是什麼意思，」七叔氣憤地說。「難道是我出賣了你嗎？」

「我不是這意思。」

「那你是什麼意思，是我帶阿輝入行的，我第一次見到他時，你哥在酒吧中跟人爭執，他連敲瓶子的角度也不懂啊，拿起一個啤酒瓶就敲下，結果弄得自己滿手是血。

「是我帶他入行的，他由學徒做到當刺客，一直都是我看著他的，我教了他一切，我由看他到現在當你的經理人，這麼多年，難道你還不信我嗎？」

O此刻欲語無言。對，七叔是一直照顧著他兩兄弟。甚至他的手受傷是爲了救他的哥哥。要是哥哥今天還沒有死的話，大概會責怪他了。

「對不起。」

「唉，」七叔嘆了一口氣。「要不是我的手已不中用，我早也回頭當刺客了，幹嘛要在這替人找換那十元八塊，稍微慢一點就給人呼呼喝喝。我早就當刺客啦！爲何要幹些執頭執尾的雜務。」

「七叔，我想退休了。」

「嗯，什麼？」

「我很累了，我想我要退休。」

「退休？爲什麼一直沒有聽你提過的？」

「我之前也沒有怎樣想過，但最近老是有點力不從心，我想大概是退休的時候了。」

「但你不當刺客，可以做什麼？再到宋城當店小二嗎？那兒已經拆了呀！」

「我這幾年也有點積蓄……我想移民到其他地方。」

「哦，原來有錢在身……」七叔苦笑。「難怪這麼神氣吧。怎麼啦？是否在談戀愛？」

O沒有回答他，只是望著門縫處滲進來的閃光，那是外面電玩螢光幕上的強光。

「那麼你退休囉，我不就要跟你一起退嗎？」七叔深深地吸了一口菸之後說。

「你也應該歇了吧，這行是不能做一世的。」

「難道我不知道嗎？」七叔慍色地說。「可是我的那三個 percent 不夠我吃一輩子呀！你有積蓄，我可沒有！這份工也不是單單用作掩飾而已呀！你明白嗎？」

「七叔，對不起。我知道我沒有替你考慮你的處境，可是我真的不想幹下去。不如這樣吧，你認真想想，有什麼生意想做，想到了就跟我說……」

「我不用你的施捨，我說到底都算是你師叔，你不要當我是乞兒。」

「……我不是這樣的意思。」O喃喃地說。

「豪，」七叔說。「你要退休，七叔阻不了你，但答應七叔，再多幹一筆。馬交②那邊有人出價二佰萬幹掉蝦餃榮……」

「等等，」O說着想了一會。「教宗一向跟馬交沒有聯絡的。」

「對，」七叔點點頭。

「我們一向沒有接教宗以外的 Order 啊！」

「這是他以外的。對你來說沒有分別。可是你要想一想我呀！我可不夠吃一輩子呀。」

「……那邊的大頭佛③沒有人接嗎？」

「現在那邊風聲很緊，加上蝦餃榮的地位。所以暗盤開了這麼久也無人肯接。但要是是你親自下海的話，可以還價至三萬。」七叔看見O滿臉惆悵。「你知道我從來都沒有勉強過你。」

「這個我明白。」

「如果你仍當我是師叔的話，就答應幹這最後一次吧。要不是我的手……」

「夠了，」O說。「我就接這一筆生意。但不要讓教宗那邊知道，你跟馬交談時也不要說是我，不要還價。二佰萬接了便行。」

「嗯哼。」

「還有，七叔，請不要再叫我舊名了。」O跟他說。

正如鄭錦富早前所預料，突擊搜查花園街並沒有什麼收穫，那個在睡夢中的馮志高及其家人，都被飛虎隊打得遍體鱗傷，並被扣上手鐐和脚鏈，事後卻被證實與案件無關，屋內亦搜不出什麼。

其實鄭事前已預計到有這可能，可是爲防萬一，鄭仍要到那兒搜查。

結果發現這家人跟O並無關連，大概是O隨便在他們的信箱中偷了些電話單據等資料，然後到圖書館用他的名義申請一張借書證吧。

由於他過往三年，從未有過一次逾期或沒有還書的不良記錄，因此圖書館也從未主動聯絡過馮。而馮沒有申請過圖書證，因此這事一直未被察覺。

回到B隊的大房，桌上放著二、三十本從圖書館中拿回來的書。Gi Gi 一見鄭錦富回來，便馬上走上前。

「鄭 Sir，這些是圖書館方面剛才運回來的，他們說另外有近百本在其他的圖書館，要過幾天才能集齊。」

「好，叫些弟兄把書搬進我房裡。那本奧運的書怎麼啦？」

「我們找過了，」Gi Gi 興奮地告訴他。「當然眞的給你猜中，那個在橋上殺人的傢伙，就是駱達華，那個射擊隊員。」

「查了入境處的記錄沒有？」

「阿琛正在查看，另外德仔則在聯絡北京射擊總會和中國奧委會。看看他們有什麼關於疑兇的資料。」

「好，順便查看一下駱達華在港有沒有什麼親人。」

「Yes Sir.」Gi Gi 挺直了身回應，她聽得出鄭 Sir 對她說話時有著嘉許的成分。

「什麼事？」他問。

「沒什麼。呀，周 Sir 剛才找了你許多次，他說你一回來馬上去找他。」

「嗯，可以了。」鄭漫不經心地點點頭。

一進了周警司的房，鄭馬上感到氣壓驟降。周滿面不悅。

「Sir，你找我嗎？」

「鄭錦富先生，」周兆倫以平和的聲音說著，跟他的面色並不相稱。「能否告訴我，到底你現在在幹什麼？」

「正在偵查近期多宗謀殺案。Sir。」

「那你昨天到了哪兒?」

「中央圖書館。Sir。」

「到那裡幹啥?」

「找資料。Sir。」

「那找到什麼?」

「找到了那天在會展外行人天橋殺人的兇手眞正身分,他原名叫駱達華,原來是中國奧運的射擊選手,五年前曾代表中國參加巴塞隆那……」

「行了,那現在找到了他沒有?」

「No, Sir.」

「那昨晚出動SDU④到花園街是什麼事?」

「我們從圖書館中的資料得知,O可能匿藏於該處。Sir。」

「到底那個什麼駱達華是不是O?」

「相信不是呀,Sir。」

「那到底你是在查哪一宗案件?」

「我有理由相信這二人是有關連的。」

「同黨嗎?」

館時就碰上了O，可惜給他跑掉。」

「不知道，可能是同屬一個殺手集團，但他們之間似乎有一種私人恩怨。昨天我上圖書館時就碰上了O，可惜給他跑掉。」

「你怎麼知道他就是O？」

「只是我的猜測，Sir。」鄭回答。

「Shit!」周兆倫叫了起來。「你第一天當班嗎？猜測？我完全不知道你在幹什麼？到圖書館就能捉到殺手，那麼在水族館玩半天不就會抓到海盜嗎？噢，那讓你到博物館又可以捉到什麼？讓我猜猜吧？銀行劫匪？強姦犯？還是小販？你簡直不知所云，到圖書館？現在大廳就給你弄得像個圖書館了。」

「Sir，我肯定昨天我碰到的那人，即使不是O，也是跟這件案有關的。」

「有關？你憑什麼肯定？當時又沒有開火，又沒有傷人。難道就憑他盜用了別人的圖書證嗎？他連一次過期還書也沒有呀？你出動SDU去抓他？要是抓到他怎樣？告他非法盜用他人圖書證嗎？好了，現在連那傢伙也找不到。」鄭無言以對，於是周Sir繼續說下去，「地鐵站內又再有一樁兇殺案。還死了兩個兄弟，閉路電視拍到又是行人天橋的那傢伙啊！而你還跟我胡扯那個他媽的不存在的O？現在姓馮的一家到了警察投訴科和電視台投訴我們濫用暴力和毆打他們啊！那節目今晚就播了，你最好看看。」

鄭錦富了解沒有必要向周Sir解釋那麼多，反正他不會了解，捉托爾並不困難，只是時間問題。反而捉拿O才是精粹所在。

過去一直無法追查到O，是因爲他確實是一個完美的刺客，行事俐落，手法乾淨。但現在只要他們繼續糾纏下去，O就有可能出錯，一旦出錯就可找到破綻。

鄭錦富決定無論如何要在六百五十萬的人群中把O揪出來。

鄭錦富坐在辦公室內，翻弄著從圖書館短髮少女那兒拿回來，傅立葉所著的《新世界》。這書出版自一八二九年。書的全名爲《工業和合作的新世界，或發現依情欲分類的吸引人的勞動和適合天性的勞動方法》。決定用簡稱爲書名的人應該獲得文學獎，鄭心裡想。在這本四十多萬字晦澀難懂的作品中，作者不斷諷刺、譴責人類文明和資本主義制度。其中某幾句被人用紅筆劃了，鄭不清楚這是否O所劃的。

工業主義造成驚人的現象——個人利益和集體利益的對立。……醫生希望自己的同胞患寒熱病，律師希望家家打官司，建築師夢想起大火，燒毀半座城市；玻璃匠夢想下冰雹，打碎所有的玻璃窗。……這是反合作制經營方式或顛倒世界的必然結果。

「我總是有個疑問。」在深夜的偵緝部內，Gi Gi猶疑地說。

「嗯？」

「要是鄭 Sir 你那天碰到的眞的是O的話，那他就在三年間看了一百四十多本書，平均一星期一本。還大多是理論書籍。」

「嗯哼」

「那他應該很有學問才是呀！既然一個有學識的人，他犯不著當刺客呀！有許多別的工作可以做呀！」Gi Gi 提出她的疑問。

「不，也不可這樣說，凡事總有兩面的。」

「怎麼兩面？」

「舉個例說，譬如早先有報導說大學女生畢業後走去當娼妓。」鄭錦富喝下一口咖啡之後說。「新聞的標題都是《大學生去當娼》或《大學生做雞無悔》，大家似乎將當妓女變成了她的第一選擇，彷彿醫生和娼妓之間她仍選娼妓，做律師和娼妓之間她仍是選做娼妓。可是卻無人站在相反的方向看啊！」

「怎樣相反的方向？」

「不是『大學生去當娼』，而是『娼妓上大學』啊。娼妓需要進修，充實自己之餘並滿足客人性慾以外的需要。因此不能單說博學的人當刺客，你可以試將他看成刺客的自我進修。這是跟每個人的性格有關的，你明白我的意思嗎？」

「嗯。」Gi Gi 大力地點點頭。可是她其實並非完全明白鄭所說的話，只是裝作聽得懂而已。

鄭錦富也沒有說下去，但他清楚明白，做什麼工作並非最重要，而是人的本身。即使同樣是警察，鄭也眼見很多年輕警員是因爲不想讀書而投身警察的，即使那警員在工作上沒問題，但他對這是仍感到痛心。

坐在幽暗的燈光下，O看到阿雯在抹著地上的可樂和玻璃碎片，一臉忿忿不平似的。O從望遠鏡中發現，她有一份 Maggie 所沒有的瀟脫，她可以一個人在家中扮警匪槍戰，在客廳和臥房之間走來走去。也可以坐在沙發，雙腿擱在茶几之上，口含一嘴的水，然後頭仰後咕碌咕碌地作噴氣狀，雙手就向天花板作蛙泳姿勢。扮成一個正在潛水的蛙人，她不時還會以慢動作拿起桌上的一些雜物，當作自己在海底拾貝殼。

有時她就這樣閉眼坐著，一坐就好幾個小時。O在想，大概她很陶醉在自己的幻想深海世界吧。

每次看她，阿雯總不時被口中含著的水咽得喘不過氣來。

阿雯是 Maggie 那事件半年後請回來的。O同樣是在超級市場的告示板上找到她的。

自從O從墳場參加葬禮回來後那一天起，他一直就再沒有回到工廠大樓那邊。他繼續住在麗港城的住處內。

Maggie 的家人終於在第二天到警署報警，由於事發當晚 Maggie 本應不用到O的家打掃，而她也瞞騙家人，說自己到自修室溫習，因此警方並沒有將O作爲調查重點，只是把他當作是Maggie的僱主，循例問了些有關她的問題。例如她平日有否跟你提起過會到哪兒玩呀，知否她有沒有男朋友之類的問題。

關於這些，O當然是不淸楚。回想起來，O除了知道Maggie有一個家中鋪地板的表姨，她曾在她家中幫忙打蠟之外，其餘什麼都不知。

而爲免引起警方的懷疑，O停止了接暗殺的任務，今天早上出門上班，到旺角的小辦公室裡呆坐，然後晚上回到麗港城的家，自個兒弄泡麵吃，然後看影碟和睡覺。

不時，他也會拿出Maggie那部隨身聽，聽一遍她的WITHOUT YOU。

每次他都不自禁地哭了。

警方由於沒有找到屍體和其他兇殺的動機。因此只是把Maggie的死列作「一般失蹤人口」的案件處理。

結果，Maggie就淹沒在衆多失蹤人口的檔案之中。O其實一直有一個衝動，就是到Maggie在秀茂坪的家裡看看，探望一下她的家人。並把隨身聽交還給他們。可是他一直沒有這樣做，因他並沒有面對他們的膽量。

如是者他一直沒有跟七叔聯絡，本來，他以爲自己會就此結束刺客生涯，直至半年後的一天，他在報紙上看到，紅毛仔在台灣基隆市被捕，他因涉嫌「田原丸」號一案⑤一直被台警方通緝。結果，他被判十二年。

樣。

看到這則報導，O突然覺得如釋重負，事情彷彿就過去了，就像孩子從噩夢中醒過來一

他把 Maggie 的隨身聽小心地放在床頭的抽屜處，然後再次把那藍色襯衫和西褲燙得畢直。然後就離開了那兒，把精神重新投入公路的另一邊。

在印尼餐廳內，晚市客人仍是疏疏落落。大概改了菜式仍是幫助不大，客人連進也不進來，又怎麼知道菜式已改呢？於是，餐廳每天做不了多少生意，只是變成 Bill 手下聚首之地。

突然間，坐近門口的那幾名兄弟全都站起來，似乎要迎接一位貴賓。

托爾。

他大腳跨入門口，滿面笑容，彷彿全無戒備般。

「怎麼啦？你的老板在嗎？我要找他啊！」他笑著對其中一個手下說。「噢，還有，請替我叫一個炒飯，我整天沒吃東西呢！」

當托爾正要上樓之時，一個粗獷大漢用手臂攔著他。

「又怎麼啦？」托爾問。

「Bill 哥吩咐過，今天任何人來找他，都不得帶武器。」

「哈，」托爾莞爾一笑。「我幾時開始變成了外人啊？」

他從腋下拿出了白朗寧交予那大漢，可是那大漢仍示意他高舉雙手，讓他搜身。

而當證實了他身上沒有其他武器後，托爾便在幾個大漢的陪同下走上二樓。

到了二樓時，他發現二樓並沒有一個人客，關上了一半的燈。而Bill和幾名手下就早已坐在這裡。Bill的手下最少一半是腰間插著槍的。

「嘩，爲什麼這麼冷清呀？」托爾一坐下便問。

大漢趨前，將剛才那支手槍交給了Bill。

「不愧高手。」Bill一面把玩手中的槍一面對托爾說。「這樣的一支槍，就能幹掉目標、保鏢之餘，還打死兩個軍裝警，還弄得整個港島交通癱瘓。警察封鎖了北角和太古城地鐵站，他們怕你摸黑從隧道爬向那邊呢！」

「我不知她的保鏢有槍的。」

「那不是更好玩嗎？這是你最喜歡的。」

「是你報警的嗎？」

「托爾，」Bill說著抽了一口雪茄。「你是我旗下最棒的殺手。但我不是早跟你說過，不要去惹O的嗎？結果怎樣？弄得被通緝。」

「告訴我，是不是你去報警的？」

「我不能再護著你，你這樣會累死我的。」

「是不是你？」

「你不能怪任何人。」

「你只要答是或不是就可以了。幹嘛做了又不敢認。」

「是呀，是我呀！」此時Bill已再也忍不住，怒不可遏地拍桌大罵。「是我報警的。」

「那你大概都沒有跟教宗提到加價的事囉。」

「是呀，想怎樣？」Bill憤懣地喊，「那是你一廂情願的事吧！」

此時托爾不禁冷笑了起來，笑得歪著脖子。

「死洋鬼子，你笑什麼笑呀？」Bill的一個手下指著他問。

「我笑你老大。」

「你有種就再說一遍。」Bill後面的手下欲上前打他，卻被Bill制止。

「哼，Bill，我真不知你怎樣做人的老大。」托爾用一種不屑的眼神鄙視着他。「你還記得自己曾是一個殺手嗎？還是現在已只是一個窩囊懦弱的餐館老闆。想殺自己旗下一個殺手，自己動手不就可以嘛！幹嘛要學那他媽的O，做些通風報信的鼠輩行爲？呀，差點忘記了，沒有跟教宗談，那麼那四十四萬的訂金中，減除了我原本的和上幾單的加一……你最少貼了十多萬。哼，做人老大，做到要貼十多萬元來引手下入局。哼，何苦呢？」

面對著托爾的譏笑，Bill怒不可遏，他一手抓起桌上的餐碟，猛力向托爾摑過去，托爾的臉膛被餐碟打過正著，力道大得碟身馬上爆裂，碎片割得他右邊血流披面，髮鬢間沾滿了碎片和血水。

托爾沒有還手，只是聳肩諂笑了一下，然後吐了口中的血絲。

「爲何你不一槍打死我。噢，我知道了。」他望著 Bill。「大概你是拿鍋鏟炒菜炒得太久，沒有力氣拿槍了。」

Bill 再也忍不住，他隔著餐桌，從下面一腳踢向托爾，使得他連人帶椅滾翻了一圈，撞到餐廳的一角。

其他手下馬上企圖一湧而上對托爾拳打腳踢，但被 Bill 阻止。

「不用你們，讓我親手打死這個小混混。」Bill 說，脫下了外套、手槍，捲起了衣袖，露出了滿佈老繭疤痕但又非常結實的手臂。

「來呀，」躺在地上的托爾一面爬起來一面叫。「我倒想看看你的身手是否已跟那些印尼炒飯一樣不濟。」

Bill 被托爾譏諷得惱羞成怒，四十多歲的他仍擁有魁梧的身軀，狀態絕不會比年輕傢伙遜色，他要在衆人面前證明他的能力。

Bill 猛力地飛腳一踢，把正要爬起來的托爾踢翻。

托爾感到自己最少兩條以上的肋骨被踢碎。他忍痛揮拳擊向 Bill 下顎，但 Bill 反手捉住了他的手腕，然後隨身一擲，把托爾擲向另一邊。托爾感到被玻璃碎片刺入了背部。

Bill 抓著他的胸口一摔，又把他扔向另一邊的餐桌，椅子也被撞毀了，Bill 拾起桌腳木條，不由分說地就橫劈向托爾。他本能地用手一格，木腳馬上斷爲兩截。

托爾的眼被打腫至將近睜不開，他看不清 Bill 的位置，於是用頭大力撞向他的頭，撞得他連忙後跌數步。

可是他紮實的馬步卻沒有叫他倒下來，他勁揮一拳，打得托爾天旋地轉。

他一個箭步跨前，然後順勢用膝撞向托爾肋骨碎裂處，這一下痛得托爾嚎叫了一聲。

托爾一面按著傷口，一面旋腳轉身踢Bill，可是給Bill避開了，他閃到了。在托爾還未意識到的時候，Bill一躍而起飛身撲向他。托爾被整個人撞跌在地上，Bill用身體騎著他，然後握緊拳頭向托爾連敲帶打的捶下去，打得他嘴角爆裂。

然後Bill用雙手捏著已奄奄一息的托爾的脖子，務求把他活生生扼死。

托爾翻動著身體掙扎，嘗試擺脫他。可是Bill就像一座宏偉的廟宇，壓在他的身上，令他動彈不得。

「講話呀！幹嘛不說話呀？你剛才不是說了很多？」Bill扼著托爾的脖子，瞪著他狂叫。被扼著的托爾雖然透不過氣，卻面露一陣叫人心寒的獰笑。

Bill正奇怪他為何會笑得曖昧，但不想理會，他一心要把他扼至窒息為止。

可是突然間，托爾放開了拉著Bill手腕的手，雙手一伸抓了Bill的兩邊面頰，然後用大拇指掩著他的雙眼。

托爾兩隻拇指用力一壓，Bill的眼珠被他推陷進去，Bill痛得慘叫了一聲，扼著托爾脖子的手不自覺地鬆開了。

托爾於是乘勢把已半插入眼窩的拇指再往內一攪，將Bill的眼珠壓爆，一灘濃稠的血水馬上由眼窩處流出來。托爾用力把拇指插至最深，然後拇指運勁在他的頭骨內搗圈，把 Bill 的腦袋攪個稀巴爛。

Bill 的手下在後面看不清這情景，便一直以爲大佬佔了絕對的優勢，正快要把這鬼仔扼斃。誰知他突然如虛脫般軟了下來，被托爾輕力一推，就趴倒地上。

手下們大吃一驚，有個反應快的正要拔槍，可是托爾已一躍而起，撲至一個最近自己的手下旁邊，搶了他腰間的黑星槍，然後一個轉身向他們連番猝射。另一隻手馬上抓回自己在桌上的白朗寧……

當槍聲再次靜下來時，房內只充斥著濃烈的琉磺味，而 Bill 的五個手下全部倒臥於血泊之中。

托爾一手拉起了桌布，然後擦淨兩隻拇指，他討厭那種指甲縫處沾滿了肉碎和腦漿的黏濕感覺。

他退下了彈匣，重新裝上一排子彈，樓下的人正要上來察看……

註解

①史翁：（Oscar Swahn）瑞典人。一九〇八至二八年間多次和兒子一起代表瑞典參加奧運射擊比賽。共贏得十五面金牌。直至七十六歲才退休，是奧運史上最老的選手。

②馬交：澳門（Macau）之別稱。

③大頭佛：一種較笨重，保護性較高的機車頭盔。澳門不少職業殺手均戴這類頭盔，騎輕型機車行動。因此「大頭佛」亦成爲澳門殺手之統稱。

④SDU：特別任務連（Special Duties Unit）之簡稱，亦即飛虎隊。

⑤「田原丸」號案：一九九一年，山口組屬下交和會成員秘密來港，透過台灣商人洪吉明、陳成章及在港中間人協助，計劃用日本漁船「田原丸」號，從大陸走私一百支AK47及八百多支黑星槍到日本。結果被日、台及港三地警方聯手偵破。

請看《全職殺手之美麗街的約會》

1 1 7　台北市羅斯福路六段142巷20弄2-3號

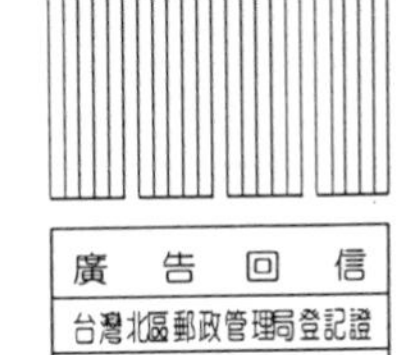

廣　告　回　信
台灣北區郵政管理局登記證
北台字第10227號

大塊文化出版股份有限公司　收

請沿虛線撕下後對折裝訂寄回，謝謝！

地址：＿＿市／縣＿＿鄉／鎮／市／區＿＿＿路／街＿＿＿段＿＿巷

＿＿弄＿＿號＿＿樓

姓名：

編號：CA 11　　書名：全職殺手之神人中最強者

讀者回函卡

謝謝您購買這本書，爲了加強對您的服務，請您詳細塡寫本卡各欄，寄回大塊出版 (免附回郵) 即可不定期收到本公司最新的出版資訊，並享受我們提供的各種優待。

姓名：____________________ **身分證字號**：____________________

住址：____

聯絡電話：(O)____________________ (H)____________________

出生日期：________年______月______日

學歷：1.□高中及高中以下 2.□專科與大學 3.□研究所以上

職業：1.□學生 2.□資訊業 3.□工 4.□商 5.□服務業 6.□軍警公教 7.□自由業及專業 8.□其他________

從何處得知本書：1.□逛書店 2.□報紙廣告 3.□雜誌廣告 4.□新聞報導 5.□親友介紹 6.□公車廣告 7.□廣播節目8.□書訊 9.□廣告信函 10.□其他____________

您購買過我們那些系列的書：

1.□Touch系列 2.□Mark系列 3.□Smile系列 4.□catch系列

閱讀嗜好：

1.□財經 2.□企管 3.□心理 4.□勵志 5.□社會人文 6.□自然科學 7.□傳記 8.□音樂藝術 9.□文學 10.□保健 11.□漫畫 12.□其他______

對我們的建議：____

____

____

國家圖書館出版品預行編目資料

全職殺手之神人中最強者/彭浩翔著；
.——初版 .——臺北市：大塊文化，
1998〔民87〕
面；公分 .——（catch；11）

ISBN 957-8468-34-2（平裝）

85.7　　86013191

LOCUS

LOCUS

LOCUS

LOCUS